Forschungsberichte
des Instituts für Kommunikationsforschung
und Phonetik der Universität Bonn

HERAUSGEGEBEN VON GEROLD UNGEHEUER

Band 19

HELMUT BUSKE VERLAG HAMBURG

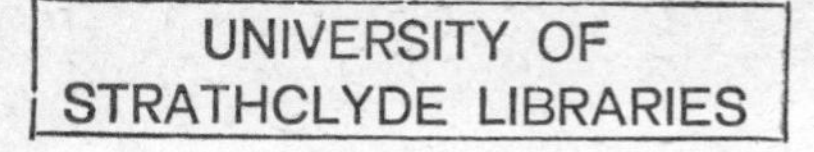

Karl-Dieter Bünting

Morphologische Strukturen deutscher Wörter

2. Auflage

HELMUT BUSKE VERLAG HAMBURG

2., unveränderte Auflage 1975
ISBN 3-87118-030-0

Gesamtherstellung: Alsterdruck E. Schlecht, Hamburg

Inhaltsverzeichnis

Seite

Seite

Seite

1. Allgemeine Vorbemerkung

Elektronische Rechenmaschinen wurden schon kurz nach ihrem Entstehen, seit den 1950er Jahren, für linguistische Untersuchungen herangezogen, und zwar mit solchem Erfolg, daß man beispielsweise die maschinelle Sprachbearbeitung heute als ein Spezialgebiet der Linguistik ansehen kann. Dabei sind zwei Arbeitsweisen zu unterscheiden:
Erstens die maschinenorientierte Forschung, die sich speziell mit maschineller Sprachübersetzung und mit maschineller Informationserschließung (information retrieval) beschäftigt.
Zweitens die "reine Linguistik", die sich der Maschine als Hilfsmittel zur Lösung ihrer Probleme bedient. Beide stützen sich auf die Leistungsmöglichkeiten des Computers, der große Materialmengen in kurzer Zeit exakt verarbeitet. Beide, besonders die erste, stoßen aber auch immer wieder auf die Grenzen dieser Maschine neuen Typs: das Material und die Prinzipien der Verarbeitung müssen logisch einwandfrei formuliert sein, d.h. die Probleme müssen prinzipiell gelöst sein; die Maschine kann sie nur nachvollziehen und überprüfen.

Für den Linguisten bedeutet aber gerade das eine hervorragende Unterstützung. Er ist gezwungen, seine Aussagen über die Sprache, seien es Beschreibungen oder Systematisierungen in Regeln, explizit zu formulieren, und er kann seine Theorien und Regeln an viel Material genauer überprüfen, als das dem Philologen früher mit seinen Zettelkästen möglich war.

In diesem Sinne soll die vorgelegte Arbeit einen Beitrag liefern zur genaueren Erforschung sprachlicher Gegebenheiten einerseits und zum Erproben von Techniken, wie ein Computer für sprachwissenschaftliche Aufgaben herangezogen werden kann. In jedem Fall handelt es sich um Linguistik <u>mit</u> dem Computer und nicht <u>für</u> den Computer.

1.1 Vorbemerkung zum Computer[1]

1.11 Darstellung der Information in der Maschine

Das Äußere der Maschine wie Aussehen, Name[2] technische Einzelheiten usw. ist nur für die praktische Arbeit von Bedeutung. Wichtig in allgemeiner Hinsicht ist das Arbeitsprinzip, das folgendermaßen grob umrissen werden kann: ein technischer Zustand wird hergestellt und in andere technische Zustände überführt. Den technischen Zuständen - elektrischen Signalen in einem Netz - werden vom Benutzer irgendwelche Informationen zugeordnet, und zwar für jede Aufgabe neu aber bindend. Das Zuordnen der Information wird "Einlesen der Daten" genannt. Das Einlesen ist vergleichbar mit dem Drucken eines Buches, nur daß nach jeder Aufgabe das Gedruckte gelöscht werden kann.

Die Daten werden nicht, wie im Buch, als Papierschwärzungen festgehalten, sondern als elektrische Signale. Aber dieselbe Notierungsebene wie bei geschriebener Sprache bleibt gewahrt, wenn auch die heute gebräuchlichen Computer keine Schrift lesen, sondern einen Lochkarten- bzw. Lochstreifenkode.[3] Den Buchstaben, Ziffern und diakritischen Zeichen der Schrift entsprechen bestimmte Lochkombinationen, die abgetastet und in elektrische Impulse umgesetzt werden. "Einlesen" bedeutet demnach Abbilden

---

1) Für allgemeine Hinweise vgl. UNGEHEUER et.al.(1966). Über den Einsatz des Computers für linguistische Zwecke siehe GARVIN (1963), GARVIN u. SPOLSKY (1966), HAYS (1966), KRALLMANN (1966a, 1968 a,b) OETTINGER (1963,1965), LAMB (1961).

Zitiert wird nach folgendem Schema: AUTOR, dahinter in Klammern das Erscheinungsjahr des zitierten Werkes; bei mehreren Veröffentlichungen in einem Jahr wird durch kleine Buchstaben differenziert; dahinter Kapitel- oder Seitenangabe. Falls auf einen Gegenstand verwiesen wird, der in der zitierten Veröffentlichung thematisch behandelt ist und dort im Inhaltsverzeichnis bzw. Sachindex erscheint, wird auf Seitenangaben verzichtet. Die genauen bibliographischen Angaben sind im Literaturverzeichnis aufgeführt.

2) In der Literatur findet man "elektronische Rechenmaschine"(Hinweis auf Technik und Leistung), "informations- oder datenverarbeitende Maschine"(Leistung), "Automat"(zugrundeliegende mathematisches Modell) u.a.m. Im allgemeinen scheint sich auch für das Deutsche das kurze englische Wort 'Computer' durchzusetzen.

3) bzw. Magnetbänder oder andere Informationsträger, wenn die Daten einmal dorthin übertragen sind.

im mathematischen Sinne, Übertragen von einem technischen Medium in ein anderes.

Die "Ausgabe" der Ergebnisse erfolgt über eine automatische Schreibmaschine in Klartext. Bei dem von mir benutzten Computer werden im Kode nur Großbuchstaben - neben Ziffern etc. - berücksichtigt, sodaß das Material in Majuskeln erscheint.[4)]

1.12 Das Verarbeiten der Daten

Die eingelesene Information ist im Computer nicht, wie in einem Buch, ein für allemal in einer bestimmten Form (Reihenfolge der einzelnen Buchstaben) festgelegt, sondern sie kann manipuliert werden. Die entsprechenden Anweisungen nennt man ein "Programm".

Beim Gebrauch eines Computers, gleichgültig für welche Zwecke, sind folgende Voraussetzungen zu beachten:

1. Der Computer identifiziert nur Zeichenfolgen als solche, d.h., daß er z.B. ein falsch geschriebenes Wort nicht als Schreibvariante, sondern als anderes Wort behandelt.
2. Die Anweisungen zum Verarbeiten müssen in logisch einwandfreier Abfolge konzipiert sein.
3. Die Anweisungen müssen in einer bestimmten Form, der "Programmiersprache", notiert werden.

Punkt 1 leuchtet ohne weiteres ein. Der Computer "erkennt" ja nichts, sondern vergleicht technische Zustände. Punkt 3 ist ein praktisches Problem.[5)] Punkt 2, die Forderung nach einem logischen Aufbau des Programms, bedeutet nicht, daß es in einem logischen Kalkül dargestellt sein muß. Die Problemstellung und der Lösungsweg sind in einzelne wohldefinierte Schritte zu zerlegen, die dann in der Programmiersprache notiert werden. Wenn z.B. die Wör-

---

4) Gerechnet wurde auf der "Großdatenverarbeitungsanlage" der Institute für Angewandte und für Instrumentelle Mathematik der Universität Bonn, einer IBM 7o9o/141o Anlage.
Zu Kodierungsfragen vgl. KRALLMANN (1966b) und ZEMANEK (1967).

5) Die Wahl einer Programmiersprache hängt vom Computer und, bei problemorientierten Programmiersprachen, vom Problem ab; für mathematische Probleme gibt es z.B. FORTRAN, für linguistische COMIT, für wirtschaftliche COBOL usw.

ter eines Textes für einen Wortindex in alphabetischer Reihenfolge geordnet werden sollen, so muß die "alphabetische Reihenfolge" zunächst explizit in einer Liste " A B C .." angegeben werden, ehe die Anweisung zum Sortieren, d.h. zum Vergleich der Textwörter mit dem Alphabet und entsprechender Einordnung, erfolgen kann. In problemorientierten Programmiersprachen sind solche Listen allerdings schon vorgegeben.

Zusammenfassend kann die Arbeitsweise des Computers mit dem aus der Logik entlehnten Attribut "extensional" charakterisiert werden. Alle Aufgaben, die sich extensionalisieren lassen, können vom Computer gelöst werden. Das bedeutet andererseits, daß Probleme extensionalisiert werden müssen, damit der Computer sinnvoll eingesetzt werden kann.

1.2 Vorbemerkung zum linguistischen Ansatz

Eine sinnvolle Verwendung des Computers verlangt, daß die behandelnden Probleme extensionalisiert, d.h. explizit dargestellt werden. E x p l i z i t d a r g e s t e l l t soll im Folgenden bedeuten. etwas - z.B. sprachliche Einheiten oder linguistische Kategorien - wird schriftlich in einem festgelegten und für die gesamte Arbeit verbindlichen Kode notiert.

Die linguistische Fragestellung läßt sich demnach für die Untersuchung folgendermaßen fassen: welche sprachlichen Gegebenheiten können explizit dargestellt werden? Die sehr allgemeine Frage ist zu präzisieren.

Nun soll die Untersuchung keinen wissenschaftstheoretischen Beitrag zur Linguistik und Grammatikforschung leisten, sondern sie soll exemplarisch zeigen, wie ein Computer verwendet werden kann, um Einsicht in sprachliche Phänomene zu gewinnen. Deshalb soll das Beobachtungsobjekt "sprachliche Gegebenheiten" in kurzem Überblick reduziert und konkretisiert werden auf das tatsächlich untersuchte Gebiet.

Explizit darstellen im oben festgelegten Sinn läßt sich ohne Zwang Sprache selbst, die in s c h r i f t l i c h e r F o r m ja schon explizit vorliegt. Von g e s c h r i e b e n e r S p r a c h e soll deshalb auch ausgegangen werden. Damit ist der phonologische und phonetische Problemkreis ausgeklammert und die Rechtschreibekonvention als zum Phänomen gehörend anerkannt. Die Buchstabenfolge geschriebener Sprache wird aufgefaßt als Notation der Lautfolge in Symbolen aus einem Kodeinventar, dem Alphabet, nach der Rechtschreibekonvention.[6)] Für das Buchstabenalphabet soll der Begriff des n a t ü r l i c h e n K o d e

---

6) Zur Relation von Buchstabentexten zu phonematisch transkribierten und von Phonemen zu akustischen Signalen vgl. HAMMERSTRÖM (1966,51ff), MONROE (1965), PULGRAM (1951), SAUSSURE (1931), UNGEHEUER u. KAESTNER (1966).
Eine weitere Notationsform der Sprache stellt z.B. die Blindenschrift dar, die für die taktile Perzeption geschaffen wurde. Sie ist als Kodierung der Schrift zu verstehen und nicht als eigenständige Transkription. Ähnliches gilt für die Kurzschrift, den Morsekode usw.

eingeführt werden in Analogie zur "natürlichen Sprache". Selbstverständlich ist das Alphabet so wenig oder noch weniger wie eine Sprache ein Naturobjekt, sondern historisch gewachsen und an eine soziale Gruppe (Sprachgemeinschaft) gebunden; aber für einen heutigen Sprachbenutzer sind das Alphabet und die Rechtschreibung genauso festgelegt wie eine Muttersprache (Sprache einer Sprachgemeinschaft), und er kann sie nicht willkürlich verändern.[7)]

Auf der Grundlage des so bestimmten natürlichen Kode (Schrift) sollen Gegebenheiten der deutschen Sprache untersucht werden, und zwar der Hochsprache[8)], d.h. des Teiles der Sprache, der allgemein im deutschen Sprachraum gültig ist, ohne eine Fachsprache oder ohne ein spezifischer Soziolekt oder Dialekt zu sein. Als Kriterium für Hochsprachigkeit eines Wortes gilt eine entsprechende Kennzeichnung in Wörterbüchern und das eigene Sprachgefühl, das durch Informantenbefragung gestützt wird.[9)] Die Untersuchung ist außerdem rein synchronisch, d.h. es werden heute geltende Gegebenheiten festgestellt; auf die historische Entwicklung wird nicht eingegangen.

Berücksichtigt wird ein Teilbereich der Hochsprache, der kurz in traditioneller Terminologie[1o)] skizziert wird. Untersucht wird die Struktur einer Anzahl "einfacher"und "abgeleiteter" Wörter. Struktur wird dabei verstanden als System von Elementen

---

7) Das soll nicht bedeuten, daß die Rechtschreibung nicht sehr wohl geändert werden kann und auch sollte. Aber solche "Sprachlenkung" muß durch einen für die gesamte Sprachgemeinschaft verbindlichen Beschluß eines einflußreichen Gremiums vorgenommen werden und kann nicht vom einzelnen Sprachbenutzer ausgehen, vgl. WEISGERBER (1964a)

8) vgl. MOSER (196o, bes. 218/9), wo u.a. auf die wichtige Rolle der Schrift für die Verbreitung und Sicherung der Hochsprache hingewiesen wird.

9) Einzelheiten vgl. 3.22 über die Auswahl des Materials. Zum Sprachgefühl s.S. 13.

1o) Terminologische Fragen werden nicht ausführlich ausdiskutiert. Es sollen keine Begriffs<u>geschichten</u> vorgelegt werden sondern Begriffs<u>bestimmungen</u>, Verabredungen für die Untersuchung. Zur Terminologie und ihren Wandlungen vgl. den Überblick von SKALA (1961)

und deren Relationen des Miteinandervorkommens. Als wichtigste Elemente werden G r a p h e m e, M o r p h e m e und W ö r t e r definiert. Grapheme sind durch den natürlichen Kode festgelegt. Zur Bestimmung der Morpheme und Wörter müssen weitere Kriterien herangezogen werden, die g r a m m a t i s c h und s e m a n t i s c h genannt werden. Zur expliziten Darstellung der grammatischen und semantischen Eigenschaften von Morphemen und Wörtern werden definierte Marken verwendet. Hierfür soll der Begriff des k ü n s t l i c h e n K o d e eingeführt werden. Der künstliche Kode, der die Markierungen für die Morphem- und Wortklassifizierungen enthält, wird per definitionem und für diese Untersuchung verbindlich festgelegt. Allerdings werden die grammatischen E i g e n s c h a f t e n nicht willkürlich, sondern begründet und mit heuristischen Erläuterungen eingeführt; sie sind insofern "künstlich", als sie nicht per se in der "Lautgestalt" (hier: Schriftgestalt) der sprachlichen Einheiten gegeben sind, sondern mit Rekurs auf die - wissenschaftlich reflektierte - Intuition. Man "weiß" qua Sprachbenutzer, ob eine Buchstabenfolge zur Sprache gehört, und man "weiß" qua Linguist, ob sie richtig, d.h. in Übereinstimmung mit der umfassenden grammatischen Beschreibung, klassifiziert ist.[11] Anders - in der CHOMSKYschen Auffassung und Terminologie[12] gesagt: der Sprachbenutzer beurteilt die "Akzeptabilität" (acceptability) einer Schriftfolge als Hochdeutsch oder nicht, der Linguist urteilt über die "Grammatikalität" (grammaticality) einer Folge bzw. kann, wenn eine explizite formalisierte Grammatik fertiggestellt ist, die Grammatik mechanisch anwenden und urteilen lassen.

---

11) Dabei ist über den psychologischen oder epistemologischen Status des "Wissens" nichts behauptet; "Wissen" soll hier in umgangssprachlicher Bedeutung stehen. Zu welchen Widersprüchen ein Linguist kommt, wenn er den Begriff "Wissen" (knowledge) auf nur wenigen Seiten erläutern will, zeigt sich am Beispiel CHOMSKYs (1965,Ch.1).

12) vgl. CHOMSKY (1961 und 1965)

Für eine empirisch orientierte Untersuchung ist die Aufgabe gestellt, mithilfe der Akzeptabilität die Richtigkeit der grammatischen Beschreibung in Bezug auf das Beobachtungsobjekt zu sichern. Hierzu muß der Linguist seine sprachliche I n t u i t i o n (Sprachgefühl) einsetzen. Der Begriff der sprachlichen Intuition ist dabei als systematische Notwendigkeit eingeführt und keineswegs wohldefiniert oder ausreichend untersucht, zumal es sich hier um ein Grenzgebiet zwischen Linguistik und Psychologie handelt.[13] Für einen Informanten meint Intuition soviel wie die "spontane Reaktion" auf eine Frage, für den Linguisten als Sprachbenutzer mit notwendigerweise verdorbener Spontaneität eher ein reflektiertes und durch Konsultation anderer Grammatiken und Nachschlagewerke gestütztes Sprachbewußtsein.[14]

Im Rahmen der Vorbemerkung ist noch auf den Z e i c h e n - c h a r a k t e r der Sprache einzugehen. Die in der Sprachwissenschaft allgemein akzeptierte Konzeption vom Zeichencharakter der Sprache, also daß Sprachelemente einen S p r a c h - k ö r p e r und eine B e d e u t u n g, ein - in SAUSSUREs Terminologie[15] -"signifiant" und ein "signifié" haben, ist für die speziell computerorientierte Aufgabenstellung übertragen auf die explizite Darstellung des Sprachkörpers im natürlichen Kode und der Bedeutung im künstlichen Kode. Für die pragmatische Ziel-

---

13) vgl. KAINZ (1956, 4.Bd., III.Hauptstück, 296-393)
14) vgl. MOSER (1967, 29/3o), der für die allgemeine gesellschaftliche Situation des Reflektierens über Sprachliches den Begriff "Sprachbewußtheit" einführt.
15) Andere Sprachwissenschaftler haben andere Termini mit z.T. anderer Erläuterung. SAUSSURE (1949) selbst verwendet noch "image acoustique" und "concept"; ferner findet man "sound" und "idea" oder "concept"(SAPIR (1921)), "form" und "meaning" (BLOOMFIELD, 1934), "Form" und "Inhalt" (WEISGERBER, Methodenlehre, 1o), "Ausdruck" und "Bedeutung" (VATER (1963,3f.)), welches an HJELMSLEV (1943,5of.) orientiert ist, der "Ausdruck" und "Inhalt" allerdings noch unterteilt in "Form" und "Substanz" oder schließlich "Sprachkörper" und "Sprachsinn" (HAMMERSTRÖM (1966,1)).

setzung reicht das aus. Wie schon oben gesagt wurde, sollen hier keine fundierten theoretischen Aussagen über das "Wesen der Sprache" gemacht werden; auch über "Leistung und Wirkung" der Sprache für die Sprachgemeinschaft oder den einzelnen Sprachbenutzer, über die Beziehungen zwischen Sprache und Kommunikation, Sprache und Denken oder über den Zeichencharakter der Sprache kann hier nichts Weiteres gesagt werden, weil das den Rahmen der Untersuchung sprengen würde.[16]

1.3 Der Aufbau der Untersuchung

In Abschnitt 2 wird die theoretische Konzeption für die graphematische Basis und die Bedeutungskategorien entwickelt. In Abschnitt 3 wird der technische Teil - Computerprogrammierung und Materialquellen - der empirischen Untersuchung sowie eine Morphemanalyse erläutert. In Abschnitt 4 wird der Problemkreis der Wortableitung theoretisch mit Diskussion der Literatur behandelt. In Abschnitt 5 werden denn Vorschläge gemacht und erprobt, wie die Wortableitung mithilfe des Computers erforscht werden kann. Abschnitt 6 bringt eine kritische Stellungnahme zur Untersuchung und Vorschläge für eine Erweiterung. In Abschnitt 7 werden die Listen der Anlage besprochen.

In einer Anlage werden als Computeroutput Listen mit Sprachmaterial als Ergebnisse der empirischen Untersuchungen hinzugefügt.

---

16) Zur allgemeinen Sprachtheorie und Methodik vgl. u.a. BLOOMFIELD (1934), BÜHLER (1934), CHOMSKY (1957,1965), HARRIS (1951), HOCKETT (1958a), SAPIR (1921), WEISGERBER (Methodenlehre, 1962,1963), SAUSSURE (1931).
Zum Zeichencharakter der Sprache SAUSSURE (1931), BÜHLER(1934), Erfurter Symposium (1961,hrsgg.v.MEIER), KAMLAH/LORENZEN(1967, 94ff), MORRIS (1938) und SPANG-HANSSEN (1954).

2. Die linguistischen Einheiten

Die Bezeichnung "linguistische Einheit" ist als Terminus zu verstehen, der Einheiten bezeichnet, die auf Grund theoretischer Überlegungen definiert sind. Demgegenüber gilt "sprachliche Einheiten" als Bezeichnung für intuitiv gewonnene Einheiten.

2.1 Grapheme und Graphemfolgen

Als kleinste diskrete Einheiten geschriebener Sprache wird man zunächst ohne Nachdenken die *Buchstaben* ansetzen. Ergänzt man sie durch alle anderen allgemein gebräuchlichen Schriftzeichen, also *Ziffern*, *diakritische Zeichen*, *Interpunktionszeichen* usw., so erhält man eine Klasse diskreter kleinster Einheiten der geschriebenen Sprache, die im Folgenden *Grapheme* genannt werden sollen. Der Begriff "Graphem" ist dabei als Abstraktion zu verstehen, in dem alle jeweils möglichen Realisationen eines Schriftzeichens in verschiedenen Drucktypen oder handschriftlichen Versionen usw. zusammengefaßt werden. Die Menge aller im Deutschen gültigen Grapheme stellt das Inventar des natürlichen Kode der geschriebenen deutschen Sprache dar, zu dem auch das *Nullgraphem*, der Zwischenraum, gerechnet wird, das ja auf der Schreibmaschine z.B. als Leertaste und im Computerkode als "blank" berücksichtigt ist.[17]

---

17) Wenn im Text ein Graphem bzw. eine Graphemfolge thematisch behandelt werden soll, wird das durch Schrägstrichklammern angezeigt: /WORT/.
Phonetische Transkription wird in eckigen Klammern notiert: [wɔrt]
In Listen oder bei Aufzählungen entfallen die Klammern.
Die Klammern sagen nur etwas über die Transkriptionsart aus, nichts über den Status der hervorgehobenen Elemente. Die diesbezüglichen Regelungen werden bei der Definition der Elemente eingeführt.
Wie schon oben gesagt, werden in Übereinstimmung mit dem Computer nur Majuskeln verwendet. Die Umlaute erscheinen als /AE/, /OE/, /UE/; das /ß/ als /SS/.
Literatur zur Graphematik vgl. HAMMERSTRÖM (1966,51-59), PULGRAM(1951) und SPANG-HANSSEN (1954).

Ein Text erscheint demnach als Folge von Graphemen. Nicht jede denkbare Graphemfolge ist jedoch ein Text in deutscher Sprache. Zum Sprachkörperteil des Sprachzeichens, der in der Graphemfolge vorliegt, gehört der Bedeutungsteil, der vom Sprachbenutzer immer mitgedacht wird. Kraft der Bedeutung[18] werden Graphemfolgen zu sprachlichen Einheiten, und nach der Bedeutung werden sie linguistisch klassifiziert. Grapheme selbst sind nicht "bedeutungstragend" in dem Sinne wie etwa Morpheme oder Wörter (s.u.), sondern nur b e d e u t u n g s - u n t e r s c h e i d e n d[19]; d.h. es ist grundsätzlich anzunehmen, daß verschiedene Sprachkörper auch verschiedenen Bedeutungen entsprechen, ohne daß über die Art der Bedeutung etwas geschlossen werden kann.

Zusammenfassend sei festgehalten: bei verschiedenen Graphemfolgen weist der natürliche Kode darauf hin, daß Bedeutungsunterschiede bestehen. Mehr ist in der Graphemfolge nicht explizit gemacht.

---

18) zum Bedeutungsbegriff s.u. 2.23

19) Das Kriterium der bedeutungsunterscheidenden Grapheme ist hier analog zu den bedeutungsunterscheidenden Phonemen angesetzt. In der Phonologie, bes. der Prager Schule, ist dieses Kriterium von größter Wichtigkeit für das Auffinden von Phonemen mithilfe von Oppositionspaaren. Vgl. dazu TRUBETZKOY (1962, 3.Aufl.) und HAMMERSTRÖM (1966, 14-32).

2.2 Wörter und Morpheme

2.21 Graphematische Eigenschaften der Wörter

Um Graphemfolgen als sprachliche und linguistische Einheiten zu bestimmen, muß auf die Intuition bzw. eine grammatische Klassifizierung zurückgegriffen werden.[2o] Allerdings lassen sich einige Einheiten allein auf Grund der Graphemfolge abgrenzen, wenn man bestimmten Graphemen eine unterscheidende Funktion zuerkennt. Hier sollen auf diese Weise die W ö r t e r graphematisch bestimmt werden: W ö r t e r sind diejenigen Folgen von Buchstabengraphemen, die von Nullgraphemen eingeschlossen sind.[21]

2o) Der Strukturalismus HARRISscher Provenienz ist zwar in der Theorie der Auffassung, allein nach der distributionellen Verteilung, festgestellt an einem großen Textkorpus, könnten alle Kombinationen von Phonemen (bei H. nicht Graphemen), die ein Morphem konstituieren, gefunden werden (vgl. HARRIS (1951)). Das ist bisher eine bloße Forderung geblieben, wie PIKE (1947,1952) nachweist. Man hat bei der praktischen Arbeit immer den "short out" der intuitiv mitgewußten Bedeutung gewählt. HOCKETT (1961) zieht daraus die theoretischen Konsequenzen und führt die Bedeutung als synchronisch notwendiges Identifikationskriterium bei den "discovery proceedures" ein.
CHOMSKY (1957, bes.Ch.1) geht einen Schritt weiter und lehnt die theoretischen Grundlagen des klassischen amerikanischen Strukturalismus, nach denen mit "objektiven" Entdeckungsprozeduren Grammatiken (Sprachbeschreibungen) gefunden werden sollten, als nicht erfüllbar ab. Statt dessen solle die Intuition eines idealen Sprachbenutzers (speaker-hearer's competence) in einem expliziten Leistungsmodell dargestellt werden, wobei die Entwicklungsgeschichte des Modells gleichgültig bleibt (vgl. u. 4.14 die Diskussion des MOTSCHschen Ansatzes zur Wortableitung).
Für die vorgelegte Arbeit soll gelten, daß auf die Intuition zurückgegriffen wird und daß die gefundenen sprachlichen Regularitäten nicht nur modellkonform - d.h. hier eher programmierbar - sondern auch einem Sprachbenutzer einsichtig und im heuristischen Sinne vernünftig dargestellt werden.

21) Das trifft den Normalfall; für Sonderfälle in konkreten Texten, wie Trennung am Zeilenende, oder für syntaktische Gruppen wie /REGNET'S/, bei denen die Begrenzung durch Nullgrapheme gegeben ist aber die Folge von Buchstaben durch ein Apostroph unterbrochen ist, müßten einschränkende Bedingungen formuliert werden. Ich gehe hier vom Normallfall aus.
Eine andere graphematisch definierbare Folge wäre z.B. der Satz, der im Text zwischen bestimmten Interpunktionszeichen steht.

Bei dieser vorläufigen Bestimmung des Wortbegriffs ist nur über die graphematischen Eigenschaften der Wörter etwas gesagt, nichts über ihre grammatische oder semantische Bedeutung.[22] Allenfalls ist hinzuzufügen, daß ein Sprachbenutzer im Normalfall "weiß", ob eine Graphemfolge ein Wort ist oder nicht und sein "Wissen" u.a. mit der Leerstellenbegrenzung begründet. Beim Schreiben entfällt allerdings die optische Hilfe, und der Sprachbenutzer ist auf seine Intuition oder auf Wörterbücher angewiesen. Wörter sind demnach hier nicht als sprachliche Einheiten definiert und noch nicht als linguistische (vgl. 2), sondern nur nach graphematischen Eigenschaften.

2.22 Morpheme als Teile von Wörtern[23]

Demnach läßt sich auf rein graphematischer Basis - im natürlichen Kode - ein Inventar von Wörtern zusammenstellen, wie das in Wörterbüchern schon seit eh und je getan wird. In den Lexika wird den einzelnen Wörtern gewöhnlich außerdem Information über die Bedeutung der notierten Sprachkörper mitgegeben - je nach der Art des Wörterbuches über grammatische Kategorien (künstlicher Kode), Synonyma, Fremdsprache usw. Ähnlich soll im empirischen Teil der Untersuchung vorgegangen werden.

Nun erscheinen in Wörterbüchern die Wörter nicht in all den Formen, wie sie in Texten vorkommen. Notiert wird eine

---

22) vgl. dazu folgendes Zitat aus SAPIR (1921,32): "... it is impossible to define the word from a functional standpoint at all, for the word may be anything from the expression of a single concept - ... - to the expression of a complete thought ... The word is merely a form, a definitely molded entity that takes in as much or as little of the conceptual material of the whole thought as the genius of language cares to allow."

23) Der "Status der Morpheme" wird hier nicht ausführlich diskutiert, noch wird eine Morphologie als Lehre von den Morphemen entwickelt. Dazu wäre eine reichliche und vielfältige Literatur zu behandeln. Es sei nur auf einige neuere Arbeiten verwiesen: BIERWISCH (1965), BLOOMFIELD (1934), ERBEN (1964), HAMMERSTRÖM (1966), HARRIS (1951), HOCKETT (1958,1961), MARTINET (1963, mit anderer Terminologie), NIDA (1949).

G r u n d f o r m , die sich bei den flektierenden Wörtern konventionalerweise mit bestimmten grammatischen Formen deckt, ohne daß das explizit ausgesprochen wird. Bei den meisten Wörtern fällt das nicht auf, da sich ihre Grundformen graphematisch mit dem Teil des jeweiligen Wortes decken, der die dem Wort eigentümliche Bedeutung trägt.[24] Die Verben hingegen erscheinen im "Infinitiv", der jeweilige "Stamm" erscheint zusammen mit der "Flexionsendung", meistens /EN/, die allenfalls darauf hinweist, daß das Wort ein Verbum ist, aber mit der sonstigen Bedeutung nichts zu tun hat und beim "Flektieren" des Wortes ja auch ersetzt oder gelöscht wird.

Wenn man Wörter aufspaltet, z.B. in Stämme und Flexionsendungen, erhält man kleinere Einheiten, die unter dem Oberbegriff M o r p h e m zusammengefaßt werden sollen. Der Begriff "Morphem" ist wie der Begriff "Graphem" (vgl. 2.1) eine Abstraktion. Er faßt alle möglichen Realisationen (Graphemfolgen) zusammen, die die gleiche, dem Morphem eigentümliche, Bedeutung tragen, also z.B. alle Stämme eines Verbums. Die einzelnen konkreten Graphemfolgen, die zu einem Morphem gehören, werden A l l o m o r p h e genannt (vgl. 2.71).

Morpheme werden definiert als Klasse austauschbarer, nicht reduzierbarer, bedeutungs<u>tragender</u> Einheiten. "Austauschbar" soll heißen, daß mehrere Sprachkörper (Graphemfolgen) als Allomorphe zu einem Morphem gehören können, wenn ihnen die gleiche dem Morphem spezifische Bedeutung zugeordnet ist. In Bezug auf andere Bedeutungen, etwa den Flexionsstatus, sind die Allomorphe allerdings bedeutungsverschieden (s.u. 2.7 und 2.71). "Nicht reduzierbar" soll heißen, daß die dem Morphem spezifische Bedeutung und damit das Morphem selbst aufgehoben ist, wenn es aufgespalten wird wie etwa ein Wort (s.o.). Das Attribut "bedeutungs<u>tragend</u>" ist nach dem eben gesagten verständlich. Es hebt die Morpheme gegen die nur bedeutungs<u>unterscheidenden</u> Grapheme ab.

---

24) traditionell "Wortstamm" genannt.

Anhand der Morpheme können nun Wörter beschrieben werden, indem man die in den Wörtern enthaltenen Morpheme und die Relationen ihrer Zusammenfügung beschreibt. Dafür sollen im Folgenden die Termini m o r p h o l o g i s c h e S t r u k t u r und M o r p h o l o g i e des Wortes gelten.

Im Verlaufe der Untersuchung soll versucht werden, die Morphologie bestimmter deutscher Wörter zu entwickeln.

Dazu sind zunächst die Morpheme als linguistische Grundeinheiten genauer zu beschreiben. Sodann werden Regeln der Zusammenfügung gesucht.

Die Morpheme sind dreifach bestimmt. Erstens als Graphemfolgen. Als solche werden sie im natürlichen Kode notiert.[25)] Sie sind schon qua Morphem linguistische Einheiten, die durch Zerlegung der sprachlichen, "natürlichen" Einheit Wort gewonnen werden. Insofern sind sie, zweitens, bestimmt durch die Wörter, aus denen sie stammen und in denen sie in den größeren linguistischen Einheiten (Syntagmen, Sätzen), erscheinen. Drittens sind sie durch die Bedeutung(en) bestimmt, die ihnen zugeordnet sind. Hier wirkt sich der zweite Punkt insofern aus, als Bedeutungen, die den Wörtern als Ganzen zukommen, auf diejenigen Teile der Wörter übertragen werden, die in allen Wortformen präsent sind.[26)]

Ehe eine Beschreibung und Klassifizierung der Morpheme nach den drei aufgeführten Kriterien vorgenommen werden kann, ist der bisher undefiniert gebrauchte Begriff B e d e u t u n g genauer zu bestimmen.

---

25) Folgende Notierungskonvention wird verabredet:
Morpheme werden zusätzlich zu den Transkriptionsklammern apostrophiert: '/GEH/' und '/EN/'.
Wörter stehen ohne Apostroph: /GEHEN/.

26) Über die graphematischen Varianten durch Umlaut etc. siehe unten 2.71 über Allomorphe.

2.3 Die Bedeutung

Sprachkörper und Bedeutung sind einander zugeordnet, und zwar in systematischer Hinsicht arbiträr, d.h. nichts am Sprachkörper weist direkt auf die Bedeutung hin[27], aber in historischer Hinsicht sozial bindend, d.h. eine einmal festgelegte Zuordnung gilt für eine bestimmte Gruppe Menschen (Sprachgemeinschaft), wobei die historische Entwicklung oder soziale Ereignisse den Sprachkörper oder die Bedeutung oder beide ändern können.[28] Solche in diachronisch erforschten Etymologien festgehaltenen Änderungen werden in dieser Untersuchung nicht berücksichtigt.[29]

Für die systematische Analyse der Bedeutung wird davon ausgegangen, daß es g r a m m a t i s c h e und s e m a n t i s c h e Bedeutung gibt. Die grammatischen Bedeutungen beziehen sich auf die syntaktischen Funktionen der Einheiten, sie regeln das Miteinandervorkommen der Elemente in den größeren Einheiten bis hin zu den Sätzen. Im Folgenden werden verschiedene grammatische Kategorien zur Wort- und Morphemklassifizierung herangezogen.

Die semantischen Bedeutungen[30] beziehen sich auf das Verhältnis zwischen Sprache und Umwelt (Welt), zwischen sprachlichen bzw. linguistischen Einheiten und außersprachlichen "Referenten". Dabei ist es zunächst systematisch gleichgültig, wie die Verbindung zwischen sprachlicher Einheit und Referent gedacht und erklärt wird, ob mit einer "geistigen Zwischenwelt" (WEISGERBER (1962)), ob eingebettet in eine Verhaltenssituation (BLOOMFIELD (1934)), eine Kommunikationssituation (MOTSCH(1965)), einen Erfahrensschatz (UNGEHEUER, mündl. Mitteilung) oder als Handlungsschema (KAMLAH/LORENZEN(1967)), um einige Beispiele zu nennen.

---

27) Abgesehen von wenigen Ausnahmen, bei denen möglicherweise Schallnachahmung wie bei /PLAPPERN/ oder /RASCHELN/ vorliegt; vgl. HENZEN (1965,6).

28) Vgl. beispielhaft und allgemein SAUSSURE (1931) und BLOOMFIELD (1934), speziell FODOR, Istvan (1965).

29) Vgl. Vorschläge 6.2

30) Die semantische kann auch l e x i k a l i s c h e Bedeutung genannt werden, wenn auf Lexika und Enzyklopädien als Ort der gebuchten Sammlung verwiesen werden soll.

Von der semantischen Bedeutung als linguistischer Kategorie soll zunächst nur angenommen werden, daß sie vorhanden und in konkreten Fällen Graphemfolgen zugeordnet ist.

2.31 Exkurs: Begründung der Ausklammerung einer semantischen Analyse des Sprachmaterials 31)

Angesichts der Tatsache, daß es noch keine umfassende und zugleich detailliert ausgearbeitete semantische Theorie gibt, könnten semantische Kategorien nur durch Einzelinterpretationen in konkreten Fällen gewonnen werden. Dabei müßten viele arbiträre Entscheidungen getroffen werden, die - je mehr Material vorliegt - gegebenenfalls revidiert werden müßten. Es sei kurz an einigen Beispielen demonstriert, welche Schwierigkeiten bei der Detailarbeit auftreten.

Als Beispiele werden einige Tiernamenmorpheme gewählt:[32)]
AAL, FISCH, GREIF, KALB, KREBS, LAMM, OCHS, PETZ, SCHWAN, SPITZ, STIER, WURM, BARSCH.

Alle diese Morpheme lassen sich - vgl. dazu weiter unten 2.61 - mit mindestens zwei Wortartkategorien belegen, d.h. in traditioneller Terminologie: sie sind Stämme von Wörtern mindestens zweier Wortarten. Alle sind Substantivstämme, die meisten außerdem Verbalstämme und einige zusätzlich - '/SPITZ,STIER/' - oder nur - '/BARSCH/' - Adjektivstämme.[33)]

Die semantische Bedeutung der Stammorpheme wird bei der "Überführung" des Sprachkörpers von einer Wortart in die andere sehr verschieden mit überführt bzw., wenn die Frage eines ursprünglichen Wortes ausgeklammert bleibt, verschieden mitgedacht. Ohne die Bedeutungen im Einzelnen zu kennzeichnen, möchte ich folgende Gruppen aufstellen.[34)]

---

31) Vgl. aber die Vorschläge in 6.2

32) Aus heuristischen Gründen werden Beispiele gewählt, bei denen semantische Bedeutungen mit Referenten vom gleichen Typ existieren.

33) Morpheme werden mit Apostroph notiert, vgl. 2.22.

34) Die hier ad hoc gebildeten Bedeutungskategorien decken sich nicht mit den WEISGERBERschen Nischen, weil hier über die inhaltliche Bestimmtheit nichts Konkretes ausgesagt wird (s.u. Diskussion des WEISGERBERschen Ansatzes und des Nischenbegriffes in 4.12).

1. Bedeutungsgleiche Kerne: der gleiche Referent, der gleiche Sachbezug ist angesprochen, wenn auch auf verschiedene Weise; die Unterscheidungen in Untergruppen werden nicht näher erläutert, da evident erscheint, daß die semantischen Relationen zwischen den Kernen der Wörter verschieden sind (Fische werden gefischt, Kühe kalben).[35]

	Subst.	Verb	Adj.
a)	KALB	KALB-EN	
	LAMM	LAMM-EN	
b)	FISCH	FISCH-EN	

2. Bedeutungsverwandte Kerne: es besteht eine "metaphorische" Beziehung: d.h. ein "Grundwort" wird angenommen[36], und dem "abgeleiteten" Wort wird ein Teil der semantischen Bedeutung des Grundwortes zugesprochen.

	Subst.	Verb	Adj.
a)	Grundwort Tiername	(Subst.)	
	AAL	(sich) AAL-EN	
	KREBS	(herum)KREBS-EN	
	OCHS	OCHS-EN	
	STIER	STIER-EN	STIER(er Blick)
	WURM	WURM-EN	
b)	Grundwort Verbum bzw. Adjektiv		
	GREIF (Vogel)	GREIF-EN	
	SPITZ (Hund)	SPITZ-EN	SPITZ

---

35) Es werden die Wörter notiert.
Die Listen sind in keiner Weise vollständig; vom gleichen Typ wären z.B. /FOHLEN/ und /BÜFFEL/ und mit homographischer Komplikation mehrerer Bedeutungen /SCHIMMEL/ aufzunehmen (s.u. 2.72 zu Homographen). Zur Illustration genügen die oben angeführten Beispiele, bei denen keine graphematischen Schwierigkeiten auftreten (Infinitivendung ist'/EN/- und nicht nur '/N/' oder Null).

36) Das Grundwort wird nicht nach etymologischen sondern nach systematischen Gesichtspunkten angesetzt; hier heißt das etwa: "umfassender und eindeutiger Sachbezug". In einer synchronischen Untersuchung ist die Etymologie wohl auch nur als Volksetymologie zu berücksichtigen, da sie so beim "native speaker", dem "Volk", wirksam ist. Bei einer wissenschaftlichen Betrachtung kann die Etymologie selbstverständlich als historische Perspektive eingeführt werden. Aber auch das würde im vorlie-

3. Bedeutungsverschiedene Kerne: es besteht weder eine sachliche noch eine metaphorische Beziehung.

Subst.	Verb	Adj.
BARSCH		BARSCH
PETZ (der Bär)	PETZ-EN	
SCHWAN	SCHWAN-EN	

Bei der Detailuntersuchung schon so weniger Wörter müssen recht viele nur heuristisch begründete Bedeutungskategorien eingeführt werden: Bedeutungsgleichheit, -verwandtschaft und -verschiedenheit kann man zunächst nur intuitiv feststellen und begründen, ebenso die Unterklassifizierung (Gruppe 1). Solche Detailuntersuchungen sind notwendig, wenn überhaupt Klarheit über semantische Verhältnisse geschaffen werden soll. Aber eine Untersuchung, die vornehmlich graphematische und grammatische Gegebenheiten im Detail erfaßt und viel Material zur Verfügung stellt für spätere semantische Untersuchungen, erscheint gleichermaßen legitim, zumal wenn als weiterer Gesichtspunkt die Verwendbarkeit eines Computers für sprachwissenschaftliche Aufgaben Gegenstand der Untersuchung ist.

Fortsetzung der Fußnote 36) von S. 24

gendem Fall nur verwirren; denn die Bedeutungsverschiedenheit in Gruppe 3 ist bei /SCHWAN/ und /SCHWANEN/ etymologisch begründet (KLUGE/MITZKA (1967, 688/9), während sowohl das Substantiv wie auch das Adjektiv /BARSCH/ auf dieselbe Wurzel zurückgehen (ebda. 53/4)

2.4 Die Morphemklassen

Im Folgenden werden die für die Untersuchung relevanten Morphemklassen und die hierfür herangezogenen und benötigten linguistischen Kategorien aufgeführt.

2.41 Zur Definition herangezogene Kategorien

In Abschnitt 2.22 wurde dargelegt, daß für eine Klassifizierung der Morpheme ihre Relationen zu den Wörtern, in denen sie auftreten, und Bedeutungskategorien relevant sind. Folgende Kategorien werden benötigt.

2.411 Semantische Bedeutung[37)]

Von der semantischen Bedeutung wird ausgesagt, ob sie einer Graphemfolge zukommt oder nicht. Nach dieser Kategorie wird zwischen Morphemen mit und ohne semantische Bedeutung unterschieden.

2.412 Wortfähigkeit

Nach der Kategorie "Wortfähigkeit" soll unterschieden werden zwischen Morphemen, die mit unveränderter Graphemfolge oder in Verbindung mit "Flexionsmorphemen" (s.u.) Wörter im oben festgelegten graphematischen Sinne sind.

2.413 Flexionsstatus

Mit der Kategorie "Flexionsstatus" sollen diejenigen grammatischen Bedeutungen erfaßt werden, die - in ERBENs Worten[38)] - auf "die grammatischen Beziehungen und die jeweilige funktionelle Stellung der Wörter im Satz" hinweisen. Der jeweilige Flexionsstatus von Wörtern - "Wörter" kann hier im oben festgelegten graphematischen Sinn verwendet werden - kann durch graphematische

---

37) im Unterschied zu grammatischer Bedeutung, vgl. 2.3
38) ERBEN (1965), S.10

Veränderung der Kernmorpheme (s.u. und 2.71 über Allomorphe) oder durch spezielle "Flexionsmorpheme" (s.u.) angezeigt werden; in beiden Fällen bleiben die anderen "Bedeutungen" der Wörter unberührt.

"Flektierbare" Wörter lassen sich nach "Flexionsklassen" einteilen, in denen Wörter zusammengefaßt werden, die nach der gleichen Art flektieren. Man kann auch von "paradigmatischer Verwandtschaft" sprechen.

2.42 Erste Klassifizierung der Morpheme

Mithilfe der genannten Kategorien lassen sich folgende Morphemklassen aufstellen.

2.421 Flexionsmorpheme

Flexionsmorpheme sind alle diejenigen Morpheme, deren Bedeutung auf einen[39] Flexionsstatus hinweist, und die nicht wortfähig sind. Ihre Zahl ist im Deutschen begrenzt; es sind ca. 2o. Für die vorgelegte Arbeit wird nur das Morphem '/EN/' mit der Bedeutung "Infinitiv" benötigt: wenn man ein Nullmorphem ansetzen will, wozu einige Linguisten aus systematischen Gründen neigen, wäre auch das Nullflexionsmorphem mit der Bedeutung "Nominativ Singular" einzubeziehen.[4o]

2.422 Kernmorpheme

Kernmorpheme, im Folgenden auch K e r n e oder W o r t - k e r n e genannt, sind alle diejenigen Morpheme, die semantische Bedeutung haben und wortfähig sind. Die Klasse der Kerne umfaßt den weitaus größten und wichtigsten Teil der deutschen Morpheme; sie stehen im Zentrum der vorgelegten Untersuchung. Die nächsten Abschnitte handeln von ihrer Unterklassifizierung nach grammatischen Kategorien.

An dieser Stelle sei der Terminus K e r n gegen die in der philologischen Tradition gebräuchlichen Termini S t a m m und

---

39) Oder mehrere, vgl. 2.72 über Homographen
4o) Zur Anzahl und zum Nullmorphem vgl. BÜNTING (1966b)

W u r z e l abgegrenzt.[41] Unter S t a m m wird der Teil eines Wortes verstanden, der nach Abtrennen von Flexionsmorphemen übrig bleibt. Danach sind alle Kerne im oben definierten Sinn auch Stämme. Nur ist der Stammbegriff umfassender, weil er auch die Stämme nicht einfacher Wörter einbezieht, also sowohl /GLUECK/ als auch /GLUECKLICH/. Der Begriff W u r z e l , der in etwa dem Kernbegriff entspricht, sollte andererseits für eine synchronische Untersuchung nicht verwendet werden sondern für die e t y m o l o g i s c h e W u r z e l in diachronischen Untersuchungen reserviert bleiben.[42]

Bei der vorgeschlagenen Definition der Kerne bleibt eine Klasse von Morphemen unberücksichtigt, die man als "nicht wortfähige Kerne" bezeichnen könnte. Es sind diejenigen, die in Verbindung mit Affixen (s.u.) und gegebenenfalls Flexionsmorphemen als Wörter vorkommen, wie z.B. '/GESS/' in /VERGESSEN/ und '/SCHMITZ/' in /VERSCHMITZT/. Sie liegen leider nicht in Listen vor wie die regulären Kerne und bleiben nicht nur per definitionem sondern hauptsächlich aus praktischen Gründen unberücksichtigt.

2.423 Affixe

A f f i x e sind diejenigen Morpheme, die semantische Bedeutung haben und <u>nicht</u> wortfähig sind. Von den "nicht wortfähigen Kernen" (s.o.) unterscheiden sie sich durch eine grammatische Bedeutung, die weiter unten als "Wortart" gekennzeichnet wird (2.61). Von einem distributionellen Standpunkt aus könnte man ihnen auch einen Flexionsstatus zuschreiben, denn Wörter mit gleichen Affixen in gleicher wortartbestimmender Position gehören der gleichen Wortart und Flexionsklasse an.[43]

---

41) Vgl. etwa SAPIR (1921,ch.2 "radicals"), KRAHE (1961,8)
42) Zum Kernbegriff vgl. SCHNELLE/KRANZHOFF (1965 a,b), besprochen unten 4.15.
43) Vgl. dazu 2.61 und BÜNTING (1966a).
Über die Funktion der Affixe bei der Wortableitung und das Gewicht der ihnen hier pauschal zuerkannten semantischen Bedeutung wird im Wortableitungsteil der Arbeit ausführlicher und mit Literaturhinweisen diskutiert, vgl. bes. 5.3

2.5 Wörter als Folgen von Morphemen (Zwischenbemerkung zur morphologischen Struktur deutscher Wörter)

Die morphologische Struktur von Wörtern läßt sich beschreiben, indem man die Wörter in Morpheme zerlegt, die vorkommenden Morpheme in Kategorien nach ihrer Klassenzugehörigkeit notiert und die Relationen ihrer Zusammenfügung hinzufügt. Je nach den vorkommenden Morphemkategorien und den Regeln ihrer Zusammenfügung lassen sich die morphologischen Strukturen und die mit ihnen beschreibbaren Wörter klassifizieren. Drei Haupttypen, die z.B. schon GRIMM aufführt[44], die e i n f a c h e n, a b g e l e i t e t e n und die z u s a m m e n g e s e t z t e n W ö r t e r, können danach folgendermaßen charakterisiert und schematisch dargestellt werden (rechts vom Gleichheitszeichen in Kürzeln):

(1) einfache Wörter : Kern (+Flexionsm.) = K(+Fl)

(2) abgeleitete " : Kern +Affix (+Affix) (+Flexionsm.) = K+A(+A)(+Fl)

(3) zusammenges. " : Kern+Kern(+Kern) (+Affix)(+Flexm.) = K+K(+K)(+A)(+Fl)

Das "+"-Zeichen besagt, daß die Morpheme miteinander im Wort vorkommen; es sagt nichts über die Stellung zueinander, ob vor oder nach einem Kern (Präfix oder Suffix). Eine Einklammerung bedeutet, daß ein oder mehrere entsprechende Morpheme vorkommen können aber nicht müssen. Nicht eingeklammerte Morpheme sind obligatorisch für die Konstituierung eines entsprechenden Wortes.

In Worten wiederholt bedeuten die Schemata:

(1) Ein e i n f a c h e s Wort enthält ein und nur ein Kernmorphem und möglicherweise ein oder mehrere Flexions-

---

44) GRIMM (1826), 3. Buch, Einleitung

morpheme[45].
Beispiel: '/GLUECK/' = /GLUECK/.

(2) Ein a b g e l e i t e t e s Wort enthält einen und nur einen Kern, mindestens ein Affix und möglicherweise ein oder mehrere Flexionsmorpheme.
Beispiel: '/VER-UN-GLUECK-EN/' = /VERUNGLUECKEN/.

(3) Ein z u s a m m e n g e s e t z t e s Wort enthält mindestens zwei Kerne, möglicherweise ein oder mehrere Affixe und möglicherweise ein oder mehrere Flexionsmorpheme.
Beispiel: '/UN-GLUECK-S-RABE/' = /UNGLUECKSRABE/.

Im Rahmen dieser Untersuchung werden nur Wörter der ersten beiden Klassen behandelt. In den nächsten Abschnitten werden die Kerne der einfachen Wörter genauer analysiert, und ein Inventar von 2759 Kernen wird in Graphemfolgen mit kodierten grammatischen Kategorien vorgelegt. Im darauf folgenden Teil wird die Untersuchung exemplarisch auf abgeleitete Wörter ausgedehnt.

---

45) Der Hinweis auf ein oder mehrere Flexionsmorpheme deckt nicht nur einfache Flexionsendungen sondern auch z.B. Partizipformen wie /GEFAHREN/, die in den Kern '/FAHR/' und die Flexionsmorpheme '/GE/' und '/EN/' zerfällt. Bei diesem Beispiel wird deutlich, warum in der allgemeinen Formel über die Stellung der Morpheme im Wort nichts gesagt werden kann; das muß spezielleren Beschreibungsformeln überlassen bleiben. Allerdings wird schon hier der Kern nicht von ungefähr zuerst notiert: ohne Kern ist eine Morphemfolge nicht wortfähig.
Zur Stellung vgl. SCHNELLE/KRANZHOFF (1965 a) und unten 4.15.

2.6 Klassifizierung der Kernmorpheme

2.61 Wortarten

Die Wörter werden gewöhnlich in Klassen nach den sogenannten W o r t a r t e n eingeteilt. Im Folgenden sollen die Kerne analog nach Wortarten klassifiziert werden, wenn sie Kerne entsprechender Wörter sein können.

Die Funktionen der Wortarten und definierende Merkmale können unter verschiedenen Gesichtspunkten betrachtet werden. Über die syntaktischen Funktionen der Wortarten soll hier nur bei der Unterklassifizierung etwas gesagt werden. Die syntaktischen Funktionen eines Wortes im Satzganzen, die ihm qua Wortartzugehörigkeit zukommen, werden aus der morphologisch orientierten Untersuchung ausgeklammert und bleiben einer syntaktischen Untersuchung vorbehalten. Vom morphologischen Standpunkt gesehen ist es möglich, die Wortartzugehörigkeit der Kerne und Wörter distributionell festzulegen, indem man flexionsklassengleiche Einheiten und Flexionsklassen zusammenfaßt. Auf diese Weise lassen sich die nicht flektierenden von den flektierenden Wortarten unterscheiden; letztere umfassen neben den traditionell auch "Hauptwortarten" genannten S u b s t a n t i v e n , V e r b e n und A d j e k t i v e n noch weitere Wortarten (P r o n o m e n), die im Folgenden nicht berücksichtigt werden.[46]

Die auf distributioneller Basis aufgestellten Flexionsklassen decken sich nicht unbedingt mit den traditionellen, an der historischen Entwicklung orientierten Deklinations- und Konjugationsklassen der Schulgrammatik.[47] Darauf, und auch auf die genaue Zusammensetzung der Wortarten - auch "Wortklassen" genannt -

---

46) Bei einer Analyse des Unterschiedes zwischen Pronomen und Substantiven, wie überhaupt zwischen den Haupt- und Nebenwortarten, kämen neben syntaktischen auch semantische Gesichtspunkte und Kategorien wie "deiktischer" oder "synsematischer" Bezug zum Referenten zur Definition hinzu; vgl. BÜHLER (1934,79ff und passim).

47) vgl. WAHRIG (1967, Erläuterung der Flexionsklassen) und BÜNTING (1966 b)

soll im Rahmen dieser Arbeit nicht näher eingegangen werden, da das Ziel nicht in einer Untersuchung des Flexionssystems liegt. Eine solche Untersuchung auf morphologischer Basis könnte allerdings sehr erfolgreich auf den Computer als Hilfsmittel zurückgreifen.[48]

Auch spezifische semantische Merkmale der Wortarten, die bei einer umfassenden Beschreibung des Phänomens von großer Wichtigkeit sind, werden hier nicht diskutiert.[49] Es wird festgehalten, daß es neben anderen die drei Wortarten der Substantive, Verben und Adjektive gibt, daß die Zugehörigkeit der Wörter zu diesen Wortarten eindeutig feststellbar ist, und daß die Kategorie der Wortartzugehörigkeit als grammatische Bedeutung den entsprechenden Wortkernen zugeordnet werden kann und soll.

2.62 Phrasendetermination

Abgesehen von der Unterscheidung nach Flexionsklassen werden die Substantive und Verben nach syntaktischen, über die Morphologie eines Wortes in den Satzkontext hinausgreifenden Kriterien klassifiziert.

Die Substantive werden nach dem sogenannten "grammatischen Geschlecht (Genus)" in M a s k u l i n a , F e m i n i n a und N e u t r a eingeteilt. Das Genus der Substantive hat insofern eine syntaktische Funktion - und ist distributionell feststellbar - als es k o n g r u e n t e Formen bei attributiven Adjektiven, Pronomen usw. fordert. Diese syntaktische Funktion soll N o m i n a l p h r a s e n d e t e r m i n a t i o n genannt werden.

---

48) vgl. BÜNTING (1966b)
49) Das betrifft etwa eine "eigentümliche Auffassung der Welt" (BRINKMANN (195o/1, zit. Ringen 1o1)) oder "Denkkreise" (WEISGERBER (1962, 2.Bd., bes.3oo ff)) oder "Bedeutungsweisen" (HEMPEL (1954, zit. Ringen 217)). Weitere Literatur zu den Wortarten bzw. -klassen OTTO (1928), SLOTTY (1929a,b), SANDMANN (1940, vgl. Ringen), BRINKMANN (1962, bes. 242ff), GLINZ (1964, bes. 1o2ff).

Für die Verben erhält man einen parallelen Begriff in der V e r b a l p h r a s e n d e t e r m i n a t i o n, worunter T r a n s i t i v i t ä t , I n t r a n s i t i v i t ä t und R e f l e x i v i t ä t fallen. Die Verbalphrasen werden von entsprechend kategorisierten Verben insofern determiniert, als Vorhandensein und Kasus der Objekte vom Verbum zwingend ohne Berücksichtigung der semantischen Erfordernisse vorgeschrieben werden, was sich dann selbstverständlich auf die semantische Bedeutung des Satzganzen auswirkt.

Als Oberbegriff für Nominal- und Verbalphrasendetermination bietet sich der Begriff P h r a s e n d e t e r m i n a t i o n an, die hier eine syntaktische Bedeutung von Substantiven und Verben erfaßt und der auch ausgedehnt werden kann auf z.B. die kasusbestimmende Funktion der Präpositionen oder attributiven oder prädikativen Gebrauch der Adjektive.

Die hier angeführten und für die Wörter geltenden Kategorien werden auf die Kernmorpheme übertragen und diese werden entsprechend klassifiziert. Dafür wird eine Notierungskonvention benötigt.

2.63 Kodierung der grammatischen Kategorien

Für die besprochenen Wortart- und Phrasendeterminationskategorien wird im Einzelnen ein künstlicher Kode vorgeschlagen, der sich am vorgegebenen Sprachmaterial orientiert.[50)] Jeweils ein Kodesymbol steht für eine Kombination von Wortart- und Phrasendeterminationskategorie. Folgende Symbole werden definiert:[51)]

A maskuline Substantive

B feminine Substantive

C Neutrumsubstantive

D mehrgeschlechtliche Substantive

---

50) Vgl. dazu 3.2 "Herkunft und Verarbeitung des Sprachmaterials", wo auf das von KANDLER vorbereitete Morphemwörterbuch nach MACKENSEN (1955) näher eingegangen wird.

51) Zu den Mischklassen D und K vgl. 2.72 über Phrasendeterminationshomographen.

E Adjektive
H transitive Verben
I intransitive Verben
J reflexive Verben
K gemischte Verben

Die Anordnung der Kodezeichen zusammen mit der Graphemfolge der einzelnen Kernmorpheme auf Lochkarten bzw. auf Magnetband als "Record" wird in Abschnitt 3.11 behandelt.

2.7 Die Relationen zwischen Sprachkörpern und Bedeutungen bei den Wörtern und Kernmorphemen

Bei der Bestimmung von Morphemklassen wurde auf grammatische Eigenschaften der Wörter verwiesen, die den Kernmorphemen zu Grunde liegen. Es bleibt zu klären, wie die Sprachkörper-Bedeutungs-Relation in den Einzelfällen verwirklicht ist.

Hierzu soll der Begriff des B e d e u t u n g s b ü n d e l s eingeführt werden, der folgende einem Wort und einem Kernmorphem zukommende Bedeutungen zusammenfaßt:

1. eine spezifische aber nicht näher charakterisierte semantische Bedeutung
2. eine Wortartkategorie
3. eine Phrasendeterminationskategorie (entfällt für Adjektive und Adjektivkerne).

Die Bedingung, daß jeweils nur <u>eine</u> Kategorie eines Typs im Bedeutungsbündel vertreten sein soll, sei besonders hervorgehoben. Nicht alle einem Sprachkörper zugeordneten Bedeutungen werden zu einem Bedeutungsbündel zusammengefaßt, sondern alle eine linguistische Einheit definierenden Kategorien.

Nun ist die Sprachkörper-Bedeutungsbündel-Zuordnung nicht notwendigerweise ein-eindeutig oder auch nur eindeutig. Einerseits ist nicht jeder Graphemfolge nur ein Bedeutungsbündel einander nicht widersprechende Kategorien zugeordnet, andererseits kann dasselbe Bedeutungsbündel mehreren Sprachkörpern zugeordnet sein. Hierzu werden im Folgenden begriffliche Abmachungen getroffen.

2.71 Allomorphe

Wenn ein Bedeutungsbündel verschiedenen Graphemfolgen zugeordnet werden kann, soll von verschiedenen Allomorphen gesprochen werden, die zu einem Morphem gehören. Auf diese Weise werden alle graphematischen Varianten eines Wortkernes erfaßt, die durch Ablaut oder Umlaut bei der Flexion - oder Ableitung (s.u.) - entstehen. Dasselbe Bedeutungsbündel, bestehend aus semantischer Bedeutung, Wortart und Phrasendetermination, kommt einem Wort in jedem Flexionsstatus zu; z.B. ist das Bedeutungsbündel des Wortes /FINDEN/ mit der spezifischen semantischen Bedeutung und den grammatischen Kategorien "gemischtes Verb" (K) in den graphematischen Varianten des Kernes immer enthalten: '/ FIND - FAND - FUND - FAEND - FUEND /'. Dasselbe gilt für das "Neutrumsubstantiv" (D) /DORF/ mit den Morphemvarianten '/ DORF - DOERF /'.

Der A l l o s t a t u s der Kernmorpheme ist im künstlichen Kode in folgender Weise notiert:

Wenn die Graphemfolge mit der Grundform (Lexikonform) eines Wortes übereinstimmt, wird kein besonderes Merkmal verwendet.

Wenn die Graphemfolge eine Flexionsvariante eines Substantivs (Plural) oder Adjektivs (Komparationsform) repräsentiert, wird das durch ein P angezeigt.
Beispiele: '/GOETT - GOTT/' oder '/KLUEG - KLUG/'.

Wenn die Graphemfolge eine Flexionsvariante eines Verbalkernes (ab- oder umgelautet) repräsentiert, gelten folgende Marken:
L 2. Stammform (Präteritum), z.B. '/FAND/'
N 3. Stammform (Partizip Perfekt), z.B. '/FUND/'
O Kombination von L und N, z.B. '/BLIEB/' zu '/BLEIB/'
M alle übrigen abweichenden Formen, z.B. '/FUEND/'.

Ferner ist für alle Wortartklassen ein Merkmal Q definiert, das alle Allomorphe solcher Kerne kennzeichnet, die nach ihrer "lautlichen Struktur" umlautfähig sind, aber beim Flektieren oder Steigern nicht umgelautet werden, z.B. '/BROET/' zu '/BROT/'. Diese Kategorie der p o t e n t i e l l e n A l l o m o r p h - k e r n e wurde im Hinblick auf die Wortableitung eingeführt, weil viele Ableitsuffixe wie z.B. '/LICH/' möglicherweise das Kernmorphem der abgeleiteten Wörter umlauten.

Zu den Allo-Marken wird jeweils die Marke für die grammatischen Kategorien des betreffenden Kernes hinzugefügt (nach der Aufstellung in 2.63). Auf die anderen Allomorphe eines Kernes wird nicht direkt verwiesen (etwa im Sinne einer Kennzeichnung nach Wortfamilien).[52]

2.72 Homographen und Haplographen

Wenn die Zuordnung von Sprachkörper und Bedeutung in umgekehrtem Verhältnis als bei den Allomorphen steht, d.h. wenn zu einer Graphemfolge mehrere verschiedene Bedeutungsbündel gehören, soll von H o m o g r a p h e n gesprochen werden.[53] Je nachdem, welche der Kategorien der Bedeutungsbündel voneinander verschieden sind, d.h. nach welcher Bedeutung die Graphemfolge "mehrdeutig" ist, kann man verschiedene Typen von Homographen unterscheiden.

---

52) Vgl. dazu Vorschläge in 6.22.
53) Hier wird der Begriff H o m o g r a p h verwendet, weil von der graphematischen Realisation des Sprachkörpers ausgegangen wird. Wenn man von der Phonemfolge, vom "Klang", ausgeht, ist von H o m o p h o n e n zu sprechen. Zumindest scheint es ratsam, den allgemein gebräuchlichen Begriff der H o m o n y m e so zu differenzieren und als Terminus für den Oberbegriff zu verwenden.
Zwei Beispiele sollen das Gesagte verdeutlichen. Das Morphem '/SCHLOSS/' ist Homograph mit den semantischen Bedeutungen wie in "Türschloss" und wie in "Königsschloss" sowie mit der Bedeutung wie im Verbum /SCHLIESSEN/. Im letzten Fall tritt eine Differenzierung nach Wortarten ein (vgl. die Homographemtypen). In allen Fällen ist /SCHLOSS/ auch Homophon, da es immer gleiche "ausgesprochen" wird, in phonetischer Transkription [ʃlɔs] .
Das Morphem /FLOSS/ hingegen mit den semantischen Bedeutungen wie in "Holzfloß" und wie im Verbum /FLIESSEN/ ist nur Homograph und nicht Homophon, da die Aussprache, phonetisch transkribiert, einmal [flo:s] und einmal [flɔs] ist. In der normalen deutschen Rechtschreibung, die Groß- und Kleinschreibung sowie ein "ß" als Graphem hat, sind "Floß"(Subst.), "floß"(Prät.) und "ge-floss-en"(Part.Perf.) nicht einmal Homographen. Bei der für den Computer und damit für die Untersuchung geltenden Konvention wird das "ß" als "ss" geschrieben und es gibt auch nur Majuskeln (vgl. Anm. 17 S. 16).

2.721 Semantische Homographen

Von semantischen Homographen ist dann zu sprechen, wenn grammatisch und graphematisch gleichen Graphemfolgen verschiedene semantische Bedeutungen zugeordnet sind. Ein semantischer Homograph ist z.B. das "Femininsubstantiv" /MARK/ mit den Bedeutungen "Geldeinheit" und "Landesteil (Mark Brandenburg)". Eine dritte Bedeutung wie in "Knochenmark" gehört zu einem "Neutrumsubstantiv" /MARK/, das also nicht nur semantisch sondern zugleich auch nach der Phrasendetermination Homograph ist (s.u.).

Die hier definierte semantische Homographie wird in der Untersuchung nicht berücksichtigt.[54]

2.722 Wortarthomographen

Wenn eine Graphemfolge Kern von Wörtern mehrerer Wortarten sein kann, soll von Wortarthomographen gesprochen werden, wie bei den in Anmerkung 53 angeführten Beispielen '/SCHLOSS/' und '/FLOSS/'.

Die Markierung der Morpheme als Wortarthomographen ist ein zentrales Anliegen des ersten Teils der empirischen Untersuchung. Wortarthomographie tritt ja immer dann auf, wenn ein Wort, und somit Kern, ohne Ableitsuffix in eine andere Wortart übergetreten ist. Es scheint mir bei einer synchronischen Untersuchung angemessen, in diesen Fällen nicht von "Wortableitung" sondern von "Wortarthomographie" zu sprechen. Für eine "Ableitung" muß ein "Ableitweg" feststellbar sein, aus dem zu entnehmen ist, welches das Grundwort und welches das abgeleitete Wort ist. Ein solcher Ableitweg kann nur mit einer diachronischen Betrachtungsweise ermittelt werden, indem festgestellt wird, daß das eine Wort in einer früheren Sprachstufe vorhanden war und das andere nicht.[55] In der vorgelegten Untersuchung soll jedoch nur synchronisch eine

---

54) Vgl. zur Begründung 2.31
55) Vgl. dazu den Ansatz von MARCHAND, der seine Arbeit über "The Categories and Types of Present-Day English Word-Formation" im Untertitel als "A Synchronic-Diachronic Approach" kennzeichnet (1960).

materielle Basis erarbeitet werden, von der aus dann "Ableittypen"[56] festgestellt werden können. In jedem Fall ist dazu mehr Information nötig, als aus den graphematischen und grammatischen Eigenschaften der Wörter hervorgeht.

2.723 Phrasendeterminationshomographen

Wenn ein Kernmorphem innerhalb einer Wortart mehrere Phrasendeterminationskategorien hat, ist von Homographie in Bezug auf die Phrasendetermination zu sprechen wie z.B. bei '/MARK/' im oben diskutierten Fall oder beim Verbalmorphem '/BRECH/', das sowohl transitiv als auch intransitiv sein kann. Die Phrasendeterminationshomographen sind in den Mischklassen D (bei den Substantiven) und X (bei den Verben) erfaßt, ohne daß auf eine genauere Unterscheidung nach den einzelnen Kategorien, die jeweils zusammen auftreten, gesondert geachtet wird (vgl. Aufstellung in 2.63).

2.724 Haplographen

Als Pendant zum Begriff Homograph wird für die Graphemfolgen mit einfacher Bedeutung der Begriff H a p l o g r a p h eingeführt.[57] Die Differenzierungen der Homographen gelten in entsprechender Weise auch für die Haplographen. Bei der Auswertung der Kerne (Abschnitt 3.33) wird der Begriff Haplograph wichtig.

---

56) Oder "Ableitungstypen"; Terminus nach WEISGERBER, vgl. dazu die Diskussion des WEISGERBERschen Ansatzes in 4.12.

57) In Anlehnung an Haplologie, Hapaxlegomena usw. nach griech. "haplos" = "einfach".

2.8 Zusammenfassung der theoretischen und terminologischen Voraussetzungen für die empirische Untersuchung

Ausgegangen wird von der Annahme, daß sprachliche und linguistische Einheiten durch Sprachkörper und Bedeutungen bestimmt werden. Als Sprachkörper wird die Graphemfolge angesetzt. Als zu untersuchende sprachliche Einheiten werden Wörter definiert als ausgezeichnete Graphemfolgen. Ihre Bedeutungen sollen auf Grund der morphologischen Strukturen bestimmt werden. Dazu werden als linguistische Grundeinheiten die Morpheme als kleinste bedeutungstragende Sprachkörper, repräsentiert in Graphemfolgen, angesetzt, die nach verschiedenen Gesichtspunkten und Kategorien klassifiziert werden können. Für die Untersuchung werden Kerne, Affixe und Flexionsmorpheme herausgehoben, mit deren Hilfe die morphologischen Strukturen einfacher, abgeleiteter und zusammengesetzter Wörter beschrieben werden können. Die Kerne, als wichtigste Morpheme der Sprache, werden nach Bedeutungsbündeln aus verschiedenen Kategorien und nach ihren graphematischen Eigenschaften (Allostatus und Homographie) in Klassen eingeteilt.

Im Folgenden werden 2759 Kerne aufgeführt als Graphemfolgen (natürlicher Kode) mit grammatischen Kennzeichen in einem künstlichen Kode, der auf das Bedeutungsbündel (Wortart und Phrasendetermination), den Allostatus und mögliche Homographie verweist.[58)]

58) Die Kerne sind zum größten Teil dem Material zu einem Wortanalytischen Wörterbuch des Deutschen von KANDLER nach MACKENSEN (1955) entnommen, vgl. dazu 3.2 .

3. Empirische Untersuchung der Kernmorpheme

3.1 Computerbenutzung

Alle die Datenverarbeitung betreffenden Fragen sind wesentlich dadurch bestimmt, daß sie am Institut für Phonetik und Kommunikationsforschung der Universität Bonn (IPK) ausgeführt wurden. Die Programmbibliothek des IPK[59], die Programmiererfahrung und Techniken der Mitarbeiter des Institutes und nicht zuletzt technische Hilfen (Schreiblocher, Lochkarten, Benutzung von Magnetbändern usw.) haben die Datenverarbeitung entscheidend gefördert.

In Abschnitt 1.1 wurden technische Probleme unter den zwei Aspekten "Darstellung der Information in der Maschine" und "Verarbeiten der Daten" allgemein behandelt. Im Folgenden wird auf die Einzelheiten näher eingegangen. Dabei werden die maschinenbezogenen "technischen" Probleme nur am Rande erwähnt, während die materialbezogenen "logischen" Probleme näher erläutert werden. Dazu sind zwei Begriffe verbindlich festzulegen. Wenn vom Sprachmaterial in Bezug auf die maschinelle Bearbeitung die Rede ist, wird der Terminus D a t e n verwendet. Die Anweisungen, nach denen die Daten verarbeitet werden, heißen P r o g r a m m.

3.11 Records als Grundeinheiten der Daten

Das Sprachmaterial liegt vor in Listen von Kernen (Graphemfolgen) mit zugeordneten grammatischen Merkmalen. Ein Kern mit den Merkmalen als linguistische Einheit aus natürlichem und künstlichem Kode wird für die Datenverarbeitung als R e c o r d bezeichnet.[60] Den einzelnen Graphemen der linguistischen Einheiten, gleichviel ob im künstlichen oder natürlichen Kode, entsprechen die Characters eines Record. Ein Record ist festgelegt und für

---

59) Zur Konzeption der Programmbibliothek vgl. KRALLMANN (1966 b).
60) Vgl. ebda.; dort auch Näheres über den Aufbau der technischen Einheiten aus "bits, words, reels" und der logischen Einheiten aus "characters, records, files" sowie eine Erläuterung der Vorteile beim Benutzen englischer Termini.

die Programmierung verbindlich zu definieren durch seine Länge gezählt nach der Anzahl der Characters und ihrer fixierten Reihenfolge. Ein Record bleibt als Einheit bei der maschinellen Verarbeitung erhalten, gleichgültig auf welchem Informationsträger die Daten gespeichert sind, ob auf Lochkarten, Magnetbändern oder anderen "externen Speichern" oder ob im "Kernspeicher" des Computers ("interner Speicher"). Allerdings kann jeder Record vom Computer bei entsprechender Programmierung verändert werden; d.h., die einzelnen Characters können umgestellt oder gelöscht oder es können neue hinzugefügt werden, wobei das Ausgangsmaterial nach Wunsch erhalten bleibt oder gelöscht wird.

Das Sprachmaterial muß, um in den Status der Daten überführt zu werden, in maschinenlesbarer Form vorliegen. Das bedeutet für die praktische Arbeit, daß es auf Lochkarten oder Lochstreifen geschrieben sein muß. Dabei empfiehlt es sich bei wörterbuchähnlichen Arbeiten, pro Record eine Lochkarte zu verwenden.[61] Nach dieser Regel wurde auch das "Wortanalytische Wörterbuch" (s.u.) verkartet. Auf diese Weise kann bei Detailuntersuchungen wie mit normalen Zettelkästen gearbeitet werden.

Die Lochkarten sind in 80 Spalten (Kolumnen) eingeteilt. Jede Spalte nimmt die Lochkombination für einen Character auf, die vom Computer abgetastet wird. Außerdem erscheint der "gelochte" Text in graphematischer Form auf der Karte und kann vom Benutzer gelsen werden.

Die auf Lochkarten übertragene Information ist in zweierlei Hinsicht festgelegt: nach der Position auf der Lochkarte (Spalten) und nach der verwendeten Kodierung. Für die Arbeit mit vielen Daten empfiehlt es sich, nicht nur die Kodierung sondern auch die Einteilung einer Lochkarte (eines Records) sorgfältig auszuwählen. Für die Kernmorpheme wurde z.T. die gleiche Anordnung wie beim "Wortanalytischen Wörterbuch" (W.A.W., s.u. 3.2) verwendet.

---

61) Anders bei laufenden Texten, bei denen etwa eine Zeile pro Lochkarte genommen werden kann.

Ein Record der Kernliste ist folgendermaßen aufgebaut (Sp = Spalten):

Sp 1 - 8 Graphemfolge
9 - 4o zur Verfügung für weitere Morpheme (Synthese)
41 - 49 grammatische Merkmale (künstlicher Kode)
5o ff. zur Verfügung für Kodeerweiterungen

Die Reservierung der ersten 4o Spalten für die Morphemkette[62] ist vom W.A.W. übernommen, weil das in dieser Untersuchung erarbeitete Material zum Vergleich mit dem W.A.W. kompatibel sein sollte. Die Kodierung der grammatischen Kategorien ist neu; im W.A.W. sind die Sp 41 - 46 zur Markierung mit z.T. anderen Kategorien und in anderer Anordnung benutzt (vgl. 3.22 Tabelle 1).

Die Anordnung der Marken in Sp 41-49 ist im Einzelnen der schematischen Darstellung zu entnehmen. In jeder Spalte werden alle dort auftretenden Kategorialsymbole aufgeführt.[63] Die Sp 44-45, 46-47 und 48-49 sind jeweils als logische Einheiten zu betrachten.

41	42	43	44	45	46	47	48	49
-	-	-	-	-	-	-	-	-
A	E	H	L	H	P	A	P	E
B		I	M	H	Q	A	Q	E
C		J	N	H	P	B		
D		K	O	H	Q	B		
			X	H	P	C		
			Q	H	Q	C		
			L	I	P	D		
			M	I	Q	D		
			N	I				
			O	I				
			X	I				
			Q	I				
			L	J				
			M	J				
			N	J				
			O	J				
			X	J				
			Q	J				
			L	K				
			M	K				
			N	K				
			O	K				
			X	K				
			Q	K				
			X	X				

62) Sp 1-4o werden wiederum in 5 Blöcke à 8 Sp für je ein Morphem zerlegt, von denen bei der Kernliste nur der 1. Block ausgenutzt ist.
63) Vgl. 2.63 und 2.71

Erläuterung der Kategorien

1. - = keine Kategorie zugeordnet

2. Wortarten und Phrasendetermination

A = maskulines Substantiv
B = feminines "
C = Neutrumsubstantiv
D = mehrgeschlechtliches Substantiv
E = Adjektiv
H = transitives Verb
I = intransitives "
J = reflexives "
K = gemischtes "

3. Allostatus

L = 2.Stammform Verb
M = unregelmäßige Form Verb
N = 3. Stammform Verb
O = 2. und 3. Stammform Verb
X = mehrere Grundformen (kommt nur bei Verben vor)
P = Umlautform in Subst.-Deklination und Adj.-Komparation
Q = potentielle Umlautform (alle Wortarten)

Erläuterung der Anordnung

Den einzelnen Spalten ist qua Spaltennummer folgende Information des künstlichen Kode zugeordnet:

Sp. 41 = Grundform Substantive
42 = " Adjektive
43 = " Verben
44-45 = Alloform Verben
46-47 = " Substantive
48-49 = " Adjektive

In den Doppelspalten ist jeweils in der ersten (44,46,48) der Allostatus und in der zweiten (45,47,49) die Wortart notiert. Das Minuszeichen (-), das anzeigt, daß eine Graphemfolge keine entsprechende Bedeutung hat, ist aus optischen Gründen gewählt. Genausogut hätte z.B. nichts (blank) stehen können, das für den

Computer ebenfalls ein Zeichen ist (Nullgraphem s.o. 2.1); das Lesen der Listen wird durch ein sichtbares Zeichen mit "negativer Bedeutung" erleichtert.

Alle Daten sind als Records vom hier dargestellten Typ notiert.

3.12 Benutzte Programme

Bei der Datenverarbeitung wurde vornehmlich auf Programme des Institutes für Phonetik und Kommunikationsforschung der Universität Bonn zurückgegriffen. Die technischen und programmierbezogenen Einzelheiten der Programme sind bei KRALLMANN (1966 b) erläutert. Im Folgenden werden die verschiedenen benutzten Programme und die mit ihnen ausgeführten Arbeitstypen aufgeführt.

BANDA : (für BANDArbeiten); alle nur mit Positionsangaben operierenden Umstellungen; Lochkarten-Magnetband Übertragungen; Kennzeichnen der Records, sei es mit Marken des künstlichen Kode oder mit Affixen im natürlichen Kode bei der Wortableitung; Ausdrucken der auf Magnetband gespeicherten Information auf Papier.

DIFFER: (für DIFFERenzen im BOOLEschen Sinn); alle Listenvergleiche beim Feststellen der Homographien und bei den Vergleichen der Wortableitungen mit dem Wörterbuch.

IBSORT: (für SORTierarbeiten nach dem IBSYS System) IBSORT ist ein allgemeines Programm des Rechenbetriebs am IIM/IAM (s.u.)); alle Alphabetisierungsarbeiten; DIFFER z.B. setzt strenge alphabetische Reihenfolge der Listen voraus.

ELSUCH: (für ELementenSUCHe); alle Sortierarbeiten, die neben der Positionsangabe eine qualitative Bestimmung des Sortierbegriffs voraussetzen (z.B. Heraussortieren aller Substantive aus dem Material des W.A.W. durch die Angabe "alle Records mit A,B,C oder D in Sp 41" oder Heraussortieren bestimmter Unterklassen der Kernmorpheme durch die Angabe "alle Records mit A-K------ in Sp 41-49").

HAEU : (für HAEUfigkeit); Statistik der Kernklassen und der Wortableitungen; Heraussortieren der einzelnen Kategorienverbindungen des künstlichen Kode (Kernklassen) und Zählen der Belege.

3.13 Bemerkung zum Rechenbetrieb[64)]

Für die konkrete Arbeit stand die "Großdatenverarbeitungsanlage" der Institute für Angewandte und für Instrumentelle Mathematik (IAM/IIM) der Universität Bonn zur Verfügung. Der Rechenbetrieb und die Benutzerordnung sind vornehmlich auf numerische Datenverarbeitung abgestimmt. Bei allem Entgegenkommen der Rechenbetriebsleitung gibt es für die linguistische Datenverarbeitung einige charakteristische Engpässe. Die einzelnen Arbeitsgänge ("Jobs") sind nach Rechenzeit, Outputmenge und Bandbenutzung klassifiziert. Bei der Überbelastung des Rechenbetriebs sind die Aufgaben der linguistischen Datenverarbeitung, die in erster Linie datenorientiert sind, d.h., bei der viele Daten in oft kurzer Rechenzeit aber mit mehreren Bändern verarbeitet werden, mit geringer Priorität versehen. Daraus ergeben sich längere Wartezeiten (oft bis zu zwei Wochen pro Job).

---

64) Diese Bemerkung soll nur auf einige praktische Schwierigkeiten hinweisen, die den Zeitfaktor bei linguistischer Datenverarbeitung, zumindest in der heutigen Situation in Deutschland, ungünstig beeinflussen; trotzdem kann sehr viel Material in kurzer Zeit bearbeitet werden (vgl. 6.1).

3.2 Herkunft und Verarbeitung des Sprachmaterials

Für den empirischen Teil der Arbeit, der in den theoretischen Überlegungen begründet ist und sie rechtfertigen soll, sind die linguistischen Daten von großer Bedeutung. Freundlicherweise wurde mir von Dr. G. KANDLER, Sprachwissenschaftliches Institut der Universität Bonn, das noch unkorrigierte Rohmaterial für ein "Wortanalytisches Wörterbuch des Deutschen" (W.A.W.) zur Verfügung gestellt.[65]

Das KANDLERsche Material wurde, wie im Folgenden beschrieben, mehrfach sortiert, reduziert und ergänzt.

3.21 Wortanalytisches Wörterbuch des Deutschen

Das Rohmaterial zum W.A.W. war aus zwei Gründen unersetzlich.
1. Es bietet eine Aufteilung von Wörtern in "Sinnelemente". Dieser Begriff ist zunächst als Arbeitsterminus zu verstehen und wird bei der Veröffentlichung des W.A.W. genauer erläutert werden. Von entscheidender Bedeutung für die vorgelegte Untersuchung ist, daß eine sehr große Anzahl deutscher Wörter - der Bestand des "Deutschen Wörterbuches" von MACKENSEN, 3. Aufl. (1955)- in segmentierter Form vorliegt und daß die Sinnelemente, soweit sie für meine Untersuchung relevant sind, die von mir gewünschten Kernmorpheme enthalten, sodaß aus dem noch unkorrigierten Material die Kernmorpheme heraussortiert werden konnten.
2. Das Material liegt in maschinenlesbarer Form vor. Welch mühsame und wertvolle Arbeit durch das Abschreiben der Elemente auf Lochkarten für die linguistische Datenverarbeitung geleistet wurde, mag den Anmerkungen bei der Publikation des W.A.W. entnommen werden.[66] Mir wurde das Material in Form von Lochkarten zur Verfügung gestellt.

---

65) Hierfür möchte ich mich sehr herzlich bedanken. Ohne dieses umfangreiche Material wären die theoretischen Überlegungen ohne umfassende empirische Erprobung geblieben und die computerorientierte Seite der Untersuchung hätte nicht in solch ausführlicher Form behandelt werden können.

66) Vgl. auch EGGERS (1967), der die Schwierigkeiten beim ersten Schritt linguistischer Datenverarbeitung schildert.

3.22 Sortierungen

Das Rohmaterial des W.A.W. bestand, als es mir zur Benutzung überlassen wurde, aus 117370 Lochkarten, auf denen pro Karte ein vollständig, teilweise oder gar nicht segmentiertes Wort und einige kodierte Kennzeichnungen über Wortart, Sonder- oder Fachsprache, Mundart Fremdsprache, Vollständigkeit der Segmentierung usw. gestanzt und in Klarschrift geschrieben sind.[67]

Die erste Aufgabe praktischer Datenverarbeitung war es, aus diesem umfangreichen Material - 40 Stahlkästen mit Lochkarten - die gewünschten Kernmorpheme herauszusortieren. Dazu waren folgende Arbeitsgänge nötig:

1. Die Information wurde von den Lochkarten auf Magnetband kopiert; einer Lochkarte als "technischer Einheit" entspricht ein Magnetbandrecord (vgl. 3.11).

2. Nach den Kennzeichen der Spalten 41-43 wurden Records mit folgenden Merkmalen heraussortiert und zu "Files" (Listen) merkmalgleicher Records zusammengestellt:

a) nur Records mit vollständig analysierten Wörtern (keine Markierung in Sp 43).

b) nur Records, die keine Markierung für Fachsprache, Mundart o.ä. in Sp 42 haben (d.h. alle mit "blank" in Sp 42 außer Z = gedoppelte Karte).

c) alle Records mit Markierungen für Substantive, Verben oder Adjektive (also mit A,B,D;E;H,I,J,K in Sp 41).

d) alle Records mit entweder, bei den Substantiven und Adjektiven, nur einem Sinnelement, oder, bei den Verben, im 2. Sinnelementblock dem Flexionsmorphem '/EN/' für den Infinitiv.

Alle diese Sortierarbeiten, und das bedeutet die Reduktion von 117370 auf ca. 4000 Records[68], wurden mit dem Computer auf Magnetbändern ausgeführt. Erst jetzt wurde wieder ein Zettelkasten - traditionelles Hilfsmittel der Philologen - benötigt. Von den

67) Zu den Kennzeichnungen des W.A.W. vgl. Tabelle 1 umseitig.
68) Als genaues Zwischenergebnis liegt die Zahl 3400 vor, wobei die glatte Zahl reiner Zufall ist. Eine Überprüfung des Materials in diesem Stadium - per Computerausdruck auf Papier - ergab, daß fälschlicherweise alle Records, die mit "Z" als gedoppelt gekennzeichnet waren (Sp 42), nicht erfaßt waren (ca. 500-600). Diese wurden gesondert heraussortiert und später bei der Handauswahl berücksichtigt.

Verschlüsselung verschiedener Informationen zum wortanalytischen Wörterbuch der deutschen Sprache auf Lochkarten

Spalte 41

Wortarten (nach Mackensen)

m	A	Subst. masc.
w	B	Subst. fem.
s	C	Subst. neutr.
	D	Subst. mehrgeschl.
EW	E	Adjektiv
MWI	F	Partizip I
MWII	G	Partizip II
ZW	H	trans. Verb
ZW	I	intrans. Verb
ZW	J	reflexiv. Verb
ZW	K	gemischt. Verb
ZaW	L	Zahlwort
GW/FW	M	Artikel und Pronomina
UW	N	Adverb
BW	O	Konjunktion
VW II	P	Präpos. c. Gen.
VW III	Q	Präpos. c. Dat.
VW IV	R	Präpos. c. Acc.
I,	S	Interjektion
	T	Abkürzung
	U	Negation u. Affirmation
mVN	V	männl. Vorname
WVN	W	weibl. Vorname
	X	Ortsname, Flußname usw
	Y	Personenname
	Z	Plural

Spalte 42

Fachsprachen, Mundarten, Sprachräume (nach Mackensen)

	A	Jägersprache
	B	Seemannssprache
	C	Bergmannssprache
	D	Soldatensprache
	E	medizinisch
	F	botanisch
	G	chemisch
	H	physikalisch
	I	musikalisch
	J	mathematisch
nd	K	niederdeutsch
md	L	mitteldeutsch
od	M	oberdeutsch
al	N	alemannisch
berl.	O	berlinerisch
öst.	P	österreichisch
	Q	rheinisch, kölnisch
schw.	R	schweizerisch
schwäb.	S	schwäbisch
wd	T	westdeutsch
-	U	kirchlich
ugs	V	umgangssprachlich
	W	
	X	
	Y	Konsonanten-Verdreif.
	Z	Karte ist gedoppelt

Spalte 43

schwer analysierbare Wörter

A Element nach Trennung unverstanden
B Element nach Trennung mehrdeutig
C
D Wortmischungen (dt.+Fremdwort)
E nicht analysierbares Fremdwort
F nicht analysiert (Überlauf) dt Wort
G nicht analysierbares gem. Wort

H nicht analysierbares dt Wort

Spalte 44

Auffangen häufiger Affixe und Partikeln bei Überlaufwörtern

A ge-
B be-
C ver-
D er-
E an-
F zu-
G vor-

H aus-

I z.T. analysierbares dt Wort
J Kombination von A und B
K Kombination von A und D
L Kombination von B und D
M
N
O
P
Q
R
S
T
U
V
W
X
Y
Z

I un-
J ent-
K ein
L ab-
M auf-
N ur-
O zer-
P nach-
Q um-
R bei-
S mit-
T gegen-
U rück-
V zer-
W unter-
X über-
Y emp-
Z

Spalte 45

Auffangen häufiger Affixe und Partikel bei Überlaufwörtern

A -en
B -e
C -er
D -ung
E -ig
F -lich
G -es
H -t
I -isch
J -keit
K -at
L -ent
M -al
N -ie
O -ion
P -heit
Q -schaft
R -in
S -bar
T -nis
U -chen
V -ieren
W -ern
X -eln
Y -igen
Z -el

Spalte 46

Kennzeichnung analysierter Affixe

A -is/ier/en
B -ier/en
C -ig/e, -ig/en, -ig/er
D -l/e, -l/er, -l/en, -l/ern
E -n/er, -n/ern
F -r/e, -r/er
G -d/e, -d/el, -d/en, -g/en, -g/er, -g/el, -d/er, -[illegible]/er, -k/er
H -an/e, -an/er
I -s/el, -s/eln, -t/el, -t/e, -t/en
J -i/an/er
K -s/e, -s/en, -s/er
L -geg/en-
M -ab/er-
n -m/en, -n/en
O -sch/eln, -sch/e, -sch/en, -sch/er
P -unt/er, -unt/en-
Q -üb/er-, -ob/er-, -ob/en
R -in/e, -in/er-, -in/en
S -z/e, -z/eln, -z/en
T -z/er
U -i/en, i/er
V -hint/en-, -hint/er-
W -neb/en-
X -nid/er, -nied/en-, -nied/er-
Y -wid/er-, -wied/er-
Z zwisch/en-

heraussortierten Records wurde jeweils das Sinnelement der ersten Elementenspalte auf Lochkarten ausgestanzt und in Klarschrift ausgedruckt, wobei die Information über die jeweilige Wortart- und Phrasendeterminationsmarkierung durch Zusammenfassen merkmalgleicher Karten in Gruppen erhalten blieb.

Aus diesen Lochkarten wurden nun manuell die "verständlichen" Kernmorpheme herausgesucht. "Verständlich" hieß hier soviel wie "mir und Informanten bekannt". "Unverständlich" war z.B. '/BLUM/' als maskulines Substantiv, das von MACKENSEN (s.131) mit "Schießpreis" erläutert wird.[69] Als Ergebnis blieben 2111 Elemente übrig, die vom W.A.W. nach Wortart und Phrasendetermination bestimmt sind.

Im nächsten Schritt wurden, wiederum maschinell, die einzelnen Listen miteinander verglichen und Homographen heraussortiert. Eine kritische Analyse dieses ersten Vergleichs ergab, daß viele Wortarthomographien beim Vergleich nur der Grundformen der Wörter nicht festgestellt werden können (z.B. '/BUND/' und '/SCHWAMM/'). Bei späteren künstlichen Wortableitungen würden wegen der lückenhaften Homographenanalyse falsche Interpretationen über mögliche Ableitwege naheliegen. Deshalb wurde das Material mehrfach ergänzt.

3.23 Ergänzungen

Die Ergänzungen bringen keine neuen "Wörter" zum Material hinzu sondern beziehen sich auf einen Ausbau der gesammelten Wortformen respektive der dazugehörigen Kerne.

1. Ergänzung: Aus dem DUDEN[70] wurden alle von der Infinitivform abweichenden Stammformen der starken und unregelmäßigen Verben auf Lochkarten abgeschrieben und als Allokerne klassifiziert (L,M,N,O plus jeweils H,I,J oder K).

---

69) Zur "willkürlichen" Auswahl vgl. 3.24 über die Vollständigkeit des Materials.
"Informanten" waren zufällig anwesende, Deutsch als Muttersprache sprechende Kollegen oder Familienmitglieder.

70) DUDEN 4 (1959, 87-98); über die spezielle Behandlung der "rückumgelauteten" Verben s.u. 3.3 .

2. Ergänzung: Bei den Substantiven wurden die graphematisch von der Grundform abweichenden (umgelauteten) Pluralstämme, bei den Adjektiven die entsprechenden Stämme der Komparationsstufen als Allokerne klassifiziert (P plus A,B,C,D bzw. E) und in die Kernliste aufgenommen.

3. Ergänzung: Für alle verbleibenden Kerne wurde, wenn zutreffend, eine "potentielle" Allovariante (umgelautet) notiert und mit Q plus entsprechendem grammatischen Kategorialsymbol markiert.

Die Ergänzungen wurden teils manuell teils mit mechanischer Unterstützung durch den Schreiblocher ausgeführt. Per Computer wurden sie dann mit der schon vorliegenden Kernliste verglichen, Homographen wurden markiert, und alles wurde zu einer großen Kernliste zusammengefaßt, die 2759 Einheiten enthält.

3.24 Linguistischer Status und Vollständigkeit des Materials

Die 2759 Records der Kernliste repräsentieren Einheiten mit folgendem linguistischen Status: sie enthalten eine Graphemfolge, die im natürlichen Kode den Sprachkörper mindestens eines Kernmorphems darstellt. Dem Sprachkörper zugeordnet ist eine Reihe von Merkmalen im künstlichen Kode, die auf die grammatischen Bedeutungen, den Allostatus und gegebenenfalls Mehrdeutigkeiten (Homographie) des Sprachkörpers hinweisen. Wegen möglicher Mehrdeutigkeit kann man die Graphemfolgen eigentlich nicht grundsätzlich als "Kerne" ansprechen; wenn es im Folgenden doch geschieht, weil die Einheiten schließlich mehr sind als bloße Graphemfolgen, dann mit der Einschränkung, daß die "Kerne" eindeutig (haplograph) oder mehrdeutig (homograph) sein können. Ähnliches gilt für den Begriff "Morphem", der verwendet wird, weil er umfassender ist als der oft exaktere Begriff "Allomorph".

Zu diskutieren ist noch die Frage nach der Vollständigkeit des Materials, von der die Allgemeingültigkeit einer Auswertung abhängt.

Das Ausgangsmaterial umfaßte alle "wortfähigen" Sinnelemente des KANDLERschen Materials, und das heißt des "Deutschen Wörterbuches" von MACKENSEN. Es kann demnach als so vollständig angesehen werden, wie das bei einem so offenen System wie einer lebenden Sprache und zumal ihrem Wortschatz erreichbar ist. Die Zahl von 4000 Elementen, die bei der Zwischensortierung erreicht war (vgl. 3.22 Anm. 68), unterstützt dieses Urteil; denn der gesamte Morphembestand einer Sprache wird, wenn überhaupt Schätzungen gewagt werden, auf ca. 4000 bis 6000 angesetzt, sodaß 4000 für die Hauptwortarten einigermaßen erschöpfend und jedenfalls repräsentativ ist.[71] Zu rechtfertigen bleibt die von mir vorgenommene Aussortierung der "unverständlichen" Morpheme. Sie erscheint nicht nur aus heuristischen Gründen sondern methodisch notwendig; denn bei der Interpretation der Ergebnisse soll das Sprachgefühl als kritisch bewertende Instanz eingeschaltet werden, und wenn ein heuristisches System bei einer solchen Untersuchung eingesetzt wird, dann muß es auch beim Ausgangs-Material berücksichtigt werden, sonst würde die Auswertung der Ergebnisse verfälscht.

Selbstverständlich ist ein von diesem Ansatz verschiedenes Projekt denkbar, bei dem nur Wörterbücher sowohl für das Ausgangsmaterial als auch für die Ergebnisse als bewertende Instanz eingesetzt werden; aber dann könnten die Ergebnisse nur aus einer Statistik und Listen bestehen. Fragwürdig wäre dann eine Auswertung, die an das "Verstehen" des Interpretierenden appeliert - und das muß schließlich jede Interpretation.

---

71) Vgl. dazu KRALLMANN (1966 a, 98).
Eine am IPK vorgenommene Zählung aller segmentierten nicht fremdsprachlichen Sinnelemente des W.A.W. ergab eine Zahl von 4781; das sind nicht wesentlich mehr als die 4000 von mir erhaltenen. Daraus läßt sich schließen, daß die große Mehrzahl der Morpheme des Deutschen zu den Hauptwortarten gehört und "wortfähig" ist.

3.3 Die Kernmorpheme (Allomorphe)

Im Anhang sind die 2759 Kernmorpheme mit den grammatischen Merkmalen als Computeroutput in Grundliste 1 ausgedruckt.

Diejenige Fassung der Dissertation, die der Philosophischen Fakultät der Universität Bonn vorgelegt wurde, enthielt eine ganze Reihe von Listen, in denen die Morpheme nach verschiedenen Gesichtspunkten - alphabetisch, nach Allomorphklassen, nach Wortarten - sortiert waren. Es sollte demonstriert werden, daß ein Magnetband mit gespeicherten Daten ein sehr flexibler "Zettelkasten" ist, wenn die Sortierkriterien explizit gemacht sind. Für den Druck der Dissertation wurde eine Grundliste hergestellt, die alle Information (Graphemfolgen und grammatische Markierungen) enthält. Die verschiedenen Sortierungen sind allerdings in ihren Belegungszahlen in Tabellen zusammengefaßt, die im Folgenden einzeln besprochen werden.

3.31 Alphabetische Sortierung

Die Grundliste 1 des Anhangs enthält die 2759 Kerne als Graphemfolgen in alphabetischer Reihenfolge zusammen mit den grammatischen Merkmalen einschließlich der Markierungen über die Ableitbarkeit, die weiter unten besprochen wird (vgl. 5.14).

Der Output gibt die Aufteilung der Records im Druckspiegel genau wieder und wurde als Druckmatritzenvorlage benutzt. Ab Sp 1 steht die Graphemfolge des Sprachkörpers, die nicht über Sp 8 hinausgeht. Diese Beschränkung ist analog zum W.A.W. beibehalten. Sp 9-4o sind leer. Sp 41-49 enthalten die bisher besprochenen Symbole der grammatischen Kategorien. Sp 5o-56 enthalten die Markierungen über die Ableitbarkeit (s.u. 5.14).

Die alphabetische Sortierung wurde als Ausgangsliste für die Wortableitungen genommen.

3.311 Sonderfälle

Beim Zusammenstellen der Allovarianten der Verbalkerne kam die Frage auf, wie die Varianten der "rückumgelauteten" Verben und weitere Sonderfälle notiert werden sollten, z.B. /KENNEN - KANNTE - GEKANNT/. Es gab zwei Möglichkeiten: entweder wurden die Kerne mit dem Tempussuffix '/T/' oder ohne '/T/' notiert. Auf Grund der Überlegung, daß bei den "normalen" abgelauteten Verbalkernen der jeweilige Kern die gesamte Information über den Allostatus enthält, wurden die Allokerne mit '/T/'-Affix geschrieben, also '/KANNT, BRANNT, DACHT/' usw. Gestützt wird diese Entscheidung durch das W.A.W., bei dem die Sinnelemente in abgeleiteten Wörtern ebenfalls mit '/T/' erscheinen, z.B. in '/BE-KANNT-SCHAFT/'.

In der folgenden Liste sind diese *unregelmäßigen Kerne* zusammengestellt. Sie werden hinter den Kernen der Grundformen aufgeführt.

BRENN : BRANNT
BRING : BRACHT,BRAECH,BRAECHT
DENK : DACHT, DAECHT
DUENK : DEUCHT
DUERF : DARF, DURFT
KENN : KANNT
KOENN : KANN, KOENNT, KONNT
MOEG : MAG, MOECHT, MOCHT
MUESS : MUSS, MUSST, MUESST
NENN : NANNT
RENN : RANNT
SEND : SANDT
TUN : TAET, TAN, TAT, TU, TUEN, TUN
WEND : WANDT
WERD : WIRD, WORD, WUERD, WURD
WISS : WEISS, WUSST
WOLL : WILL

3.32 Aufschlüsselung nach Wortarten

Tabelle 2 (S.56) gibt eine Aufschlüsselung des Kernmaterials nach verschiedenen grammatischen Kategorien. Erstens werden alle einer Wortart zugehörigen Kerne zusammengezählt.[72] Dabei wird zweitens zwischen Haplographen, die nur einer Wortart angehören, und Homographen unterschieden. Drittens werden die Kerne nach Grundformen und Alloformen getrennt erfaßt und bei letzteren werden zudem die "belegten" und die "nicht belegten, potentiellen" Kerne getrennt behandelt. Zu den Belegungszahlen (Anzahl) kommen die relativen Häufigkeiten (%) hinzu, die sich einmal auf die Gesamtzahl der Belege einer Wortart (Total) und einmal auf die Anzahl (Anz) der Belege einer Untermenge (Grundformen oder Alloformen) beziehen.[73]

---

72) Es sind jeweils die Homographen mitgezählt, die also mehrfach zählen; die Gesamtsumme ergibt deshalb 3613 und nicht 2759 (Gesamtzahl der Graphemfolgen).

73) Die relativen Häufigkeiten sind auf eine Stelle nach dem Komma abgerundet. Die Zwischensummen ergeben nicht immer 1oo,o %.

Tabelle 2 : Aufschlüsselung der Kerne nach Wortarten

	Kernklassen		Subst	Verb	Adj
Total	insgesamt	Anzahl	1457	1843	313
	Haplographen	Anzahl	767	1o1o	176
		% v Total	52,6	54,8	56,2
	Homographen	Anzahl	69o	833	137
		% v Total	47,4	45,2	43,8
Grundf	insgesamt	Anzahl	898	1o8o	2o8
		% v Total	61,8	58,6	66,4
	Haplographen	Anzahl	495	563	122
		% v Total	34,o	3o,5	39,o
		% v Grundf	55,2	52,1	58,6
Alloformen	insgesamt	Anzahl	559	763	1o5
		% v Total	38,3	41,4	33,5
	belegte Haplographen	Anzahl	13o	275	11
		% v Total	8,9	15,2	3,5
		% v Allof	23,3	37,4	1o,5
	potentielle Haplographen	Anzahl	142	172	43
		% v Total	9,7	9,3	13,7
		% v Allof	25,6	22,5	41,o

Aus den Zahlen der Tabelle geht hervor, daß etwas mehr als die Hälfte der Kerne Haplographen sind, soweit die Wortartzugehörigkeit betroffen ist. Erstaunlich ist dabei, daß zwischen den einzelnen Wortarten keine nennenswerten Unterschiede bestehen (Substantive 55,2 %, Verben 52,1 % und Adjektive 58,6 %). Für die Wortableitung läßt sich daraus schließen, daß es zwar Ableitungen mit einem Nullsuffix gibt, daß diese Art der Überführung eines einfachen Wortes von einer Wortart in eine andere im Deutschen allerdings bei weitem nicht in dem Maße möglich ist wie z.B. im Englischen, wo einfache Substantivkerne gewöhnlich auch als Verbalkerne auftreten.[74] Die oben für das vorge-

---

74) Vgl.JESPERSEN (1938,9.Aufl.,§171) und MARCHAND(196o,293ff), (1964).

legte Material errechneten Zahlen sind allerdings nur in Bezug auf die Graphemfolgen korrekt. Einige Fälle wie z.B. '/SCHLUSS/', bei denen eine Allovariante des Verbums einer früheren Sprachstufe in eine andere Wortart übergetreten ist, die später ausgeschieden ist, sind nicht erfaßt. Eine Klassifizierung der Kerne auch nach Wortfamilien würde die Analyse in diesem Punkt verfeinern und korrigieren.[75)]

Das Verhältnis zwischen G r u n d f o r m e n und A l l o f o r m e n ist differenzierter zu betrachten. Aus den Gesamtzahlen, deutlicher noch aus den relativen Häufigkeiten für die belegten Alloformen, können Rückschlüsse auf die Ab- und Umlautung im Flexionssystem gezogen werden. Durch die verschiedenen Ablautstufen der starken Verben sind bei den Verben erheblich mehr Alloformen belegt (37,4% bei den Haplographen) als etwa bei den Substantiven (23,3% der Haplographen) oder, noch schwächer belegt, bei den Adjektiven (1o,5% der Haplographen). Gerade diese Zahlen zeigen, daß durch die Ergänzung des Ausgangsmaterials mit potentiellen Alloformen die Basis für eine Wortableitungsuntersuchung wesentlich erweitert worden ist.

3.33 Einige statistische Daten[76)]

Die 2759 Kerne verteilen sich auf 21o verschiedene Klassen. Die vorkommenden Klassen sind zusammen mit der Anzahl der zu einer Klasse gehörenden Kerne des Ausgangsmaterials im Anhang in Liste 2 abgedruckt, und zwar nach Häufigkeiten der Kernbelegung geordnet.

---

75) Vgl. 6.221 .

76) Es wird keine statistische Auswertung im Sinne der in der Mathematik entwickelten und in der statistischen Linguistik (HERDAN (1966)) angewandten Methoden vorgenommen, sondern das Kernmaterial wird nur in Zahlen zusammengefaßt.

4. Wortableitung

In Abschnitt 3 wurden die Kernmorpheme qua Morphem behandelt. Im Folgenden soll die Untersuchung auf die morphologische Struktur deutscher Wörter ausgedehnt werden. Nach den in 2.5 entwickelten Schemata lassen sich mit dem Kernmaterial die Strukturen e i n f a c h e r W ö r t e r aufschlüsseln und weiter nach Flexionsklassen systematisch erfassen. Da das Flexionssystem ein geschlossenes System ist, das zudem auf traditioneller Basis in vielen Grammatiken, z.B. ERBEN (1965), und auf graphematischer Basis neuerdings im "Großen Deutschen Wörterbuch" (WAHRIG (1967)) vorgelegt ist, erscheint eine solche Aufgabe nur vom Standpunkt der Computerbenutzung aber nicht vom sprachwissenschaftlichen Standpunkt lohnend.[77] Deshalb wird die Untersuchung ausgedehnt auf die a b g e l e i t e t e n W ö r t e r. Dazu wird zunächst ein Überblick über die Forschungslage zur Wortableitung und - allgemeiner - Wortbildung gegeben, soweit die deutsche Sprache betroffen ist.

4.1 Literaturüberblick

In der deutschen Sprache ist die Wortbildung ein wichtiges Phänomen; "das Deutsche hat nämlich ... eine Neigung, nicht nur den Satz, sondern auch das Wort als frei im Moment erschaffbares Gebilde zu betrachten und zu gebrauchen."[78] Entsprechend nimmt die Wortbildungslehre eine gewichtige Stellung in deutschen Grammatiken wie etwa GRIMM (1826), WILMANNS (1896) und KLUGE (1925, spezieller Abriß der Wortbildungslehre) sowie PAUL (192o) ein. Neuere Grammatiken, wie etwa ERBEN (1965), verweisen hingegen auf speziellere Arbeiten bzw., wie der DUDEN (1959, Bd.4), bringen eine knappe Darstellung. Die Forschungslage für das Deutsche läßt sich exemplarisch an einigen methodisch verschiedenen Arbeiten darstellen.[79]

---

77) Vgl. BÜNTING (1966 b)
78) GLINZ (1965, 48)
79) Literaturhinweise bei Besprechung der einzelnen Publikationen.

Den besten Überblick über die deutsche Wortbildung gibt HENZEN in einer diachronisch sprachvergleichend aufgebauten Untersuchung, die durch einen methodischen Aufsatz zur inhaltbezogenen Wortbildung und durch eine Vorstudie zu einer spezielleren synchronischen Arbeit ergänzt wird. WEISGERBER erarbeitet in einer Reihe von Veröffentlichungen ein Konzept für die inhaltbezogene und weiterhin energetische Sprachbetrachtung und demonstriert es detailliert an einem Beispiel aus der Wortableitung. ERBEN setzt sich in einem programmatischen Aufsatz mit der Problematik synchronischer und diachronischer Wortbildungsforschung auseinander. Einen neuen Ansatz in Form eines streng formalen Grammatikmodells im CHOMSKYschen Sinn fordert MOTSCH. Einen ähnlichen Weg mit Blickrichtung auf die Verwendung eines Computers weisen SCHNELLE und KRANZHOFF.

Neben diesen Arbeiten gibt es eine Vielzahl von Zusammenfassungen in einzelnen Grammatiken (z.B. DUDEN, ERBEN, BRINKMANN) und Einzeluntersuchungen (FLURI (1964), MUNSKE (1964)), auf die hier nicht näher eingegangen wird, weil sie zu speziell sind und methodisch nicht wesentlich von den genannten abweichen. Ausführliche Literaturhinweise finden sich bei HENZEN, für die neuere Literatur insbesondere im Anhang zur 3. Auflage. Im Folgenden sollen nur noch einige stark computerorientierte Projekte von VEILLON u.a. und HENKE (für das Deutsche) sowie DOLBY/RESNIKOFF/EARL (für das Englische) einzeln besprochen werden.

4.11 Henzen

Die umfassendste Gesamtdarstellung der Wortbildung legt HENZEN vor.[80] Der Sprachhistoriker gibt eine "die Wortbildungsgruppen vom Germanischen her begleitende Überschau" mit zahlreichem Material aus verschiedenen Sprachstufen, gelegentlich auch Sternchenformen für erschlossene Wörter.[81] Die Überschau vereinigt diachronische und komparatistische Beschreibung und Ordnung des Materials unter dem Oberbegriff W o r t b i l d u n g s - s t r ä n g e . Die Beschreibungstermini werden, soweit sie Gram-

80) HENZEN (1965),3. durchges. u. erg. Aufl.
81) a.a.O. Vorwort

matisches betreffen, im traditionellen philologischen Sinn wie bei den ausdrücklich zitierten WILMANNS, KLUGE und PAUL bzw. in leicht modifizierter Form verwendet. So wird, im einleitenden theoretischen Kapitel, die Wortbildung abgegrenzt gegen Lautlehre, Flexion und Syntax. Innerhalb der Wortbildung wird zwischen Wortschöpfung (Neubildung aus noch nicht vorhandenem Sprachmaterial abgesehen von den Lauten) und "Wortbildung im engeren Sinn" (a.a.O. 5) unterschieden, die weiter unterteilt wird in Zusammensetzung (selbständiger Wörter), Ableitung (vermittels Lautwandels oder Ableitsuffix) und Präfixbildung. Diese Haupttypen werden weiter unterteilt nach Wortartkategorien (Substantiv, Verb usw.) und schließlich nach historisch gleichen Lautformen. Dazwischen wird allerdings als sehr wichtiger Ordnungsfaktor eine inhaltliche Kategorie geschoben, "Bedeutungen, die die Wortbildungsgruppen zusammenhalten" (Vorwort). Diese Bedeutungsbezeichnungen sind sprechende Termini, die auf heuristischem Weg eingeführt werden. Sie sollen "die Triebkräfte" erklären, die hinter den Bahnen der Wortbildung wirken. Wie HENZEN das erklärt und begründet, sei kurz am Beispiel seiner Definition des Wortbegriffes dargestellt.[82]

Ausgangspunkt ist die Sprachwirklichkeit, in der es ohne Zweifel Wörter gibt; sie sind "ein sprachliches Reale". Eine Zerlegung des Wortes ist eine Anzahl "selbständiger Laute" wird ebenso wie eine "historisch-grammatische" (nicht zu belegen) oder eine "logisch-grammatische" (entspricht nicht der Wirklichkeit) abgelehnt. Das Wort ist ein "einheitliches Ganzes", ihm "ist nur hintenherum und von seiner inhaltlichen Seite beizukommen". Zwar ist es nicht der "einfachste sprachliche Bedeutungsträger", denn dann müßten z.B. Suffixe als Wörter angesehen werden, aber schließlich wird es doch mit NOREEN (1923,446) definiert als "ein selbständiges Morphem (Sprachform), das mit Rücksicht auf Laut und Bedeutung von unserem Sprachsinne als Einheit aufgefaßt wird, weil man es nicht in kleinere Einheiten zerlegen könne oder wolle". HENZEN ergänzt noch, es sei der "kleinste organische Rede-

82) Zitate und Termini zur Wortdefinition vgl. a.a.O. S.7-1o.

teil, der flektierbar sei oder seine Eigenbedeutung u n a b - h ä n g i g (sic) tragen könne" und der im Satz nach "strukturellen Bedürfnissen" eingesetzt und versetzt werden könne.

HENZEN selbst sieht die Fragwürdigkeit inhaltlicher Gliederungen, die auf solch schwankendem individualpsychologisch verankertem Boden stehen. In der Auseinandersetzung[83] mit WEISGERBERs Vorschlägen zu einer inhaltbezogenen Wortbildungsforschung (s.u. 4.12) tritt er deshalb nachdrücklich für den Vorrang der formbezogenen Kategorien ein, die allein objektiv erfaßbar sind. Er will sie durch die Bedeutungskategorien nur ergänzen. Den Schritt zu einer strukturalistischen Analyse der sprachlichen Formen macht er allerdings nicht, aber er erwartet Kritik von diesem Gesichtspunkt.[84] Im Vorwort weist er darauf hin, er wisse selbst, was sein Buch nicht sei: "keine irgendwie durchgängig synchronische Darstellung der deutschen Wortbildung, noch weniger eine strukturale", sondern eine diachronische Überschau mit Ausblicken auf verwandte Sprachen.

Welche Schwierigkeiten für die rein beschreibende Methode bei einer synchronischen Untersuchung allein schon bei der Materialsammlung auftreten, zeigt HENZEN in einer Vorstudie zur Erforschung der Wortschatzbewegungen, in der der heutige Bestand der Verben mit dem Präfix '/VER/' zusammengestellt wird.[85] Eine kritische Beurteilung der Quellen muß z.B. beachten, daß GRIMMs "Wörterbuch" eine Erscheinungszeit von über hundert Jahren überschreitet und somit für eine synchronische Untersuchung nur bedingt herangezogen werden kann. Außerdem kann gerade bei der Wortbildung für die produktiven "offenen" Klassen das Material per definitionem und der Sache nach nicht vollständig erfaßt werden.

Zusammenfassend kann gesagt werden, daß HENZENs Überblick für eine Orientierung über verschiedene Bildungstypen große Dienste leistet, daß aber zur Entwicklung einer exakten und operablen Methode für die Beschreibung der synchronischen Struktur des

83) HENZEN (1957)
84) Vgl. MARCHAND (1960,8) und MOTSCH (s.u. 4.14).
85) HENZEN (1956); vgl. dazu WEISGERBER (1958,16ff).

Sprachsystems ein anderer Weg eingeschlagen werden muß als der deskriptiv-komparative.

4.12 Weisgerber

In mehreren Veröffentlichungen der letzten Zeit geht WEISGERBER detailliert auf Probleme der Wortbildung ein: Untersuchungsmethoden, praktische Ausführung und Auswertung im Sinne der "energetischen" Sprachbetrachtung werden aneinandergereiht. Ich halte mich vornehmlich an den die Methode knapp zusammenfassenden und sie demonstrierenden Teil "Wortbildungslehre" aus "Die Vier Stufen in der Erfassung der Sprachen".[86)]

Die vier Stufen werden allgemein definiert als a) lautbezogene Materialsammlung, b) inhaltbezogene Ordnung, c) Bestimmung der geistigen Leistung und d) wirkungbezogene Betrachtung. Für die Wortbildung, speziell die Ableitung, wird die Methode an Hand einiger Begriffe fixiert. Die Sammlung des Materials soll sich an die Ableitungstypen halten, die durch Wortart und äußere Form gekennzeichnet sind. So gehören z.B. alle Substantive auf '/LING/' oder alle Verben mit '/VER/' einem Ableitungstyp an. Diese sind nun weiter zu differenzieren in Gruppen von Wörter, bei denen sich ein "bedeutungsmäßiger Zusammenhang" zeigt. Diese Gruppen werden Wortnischen genannt; sie sollen einen ersten inhaltlichen Aspekt zur rein lautlichen Gliederung beitragen. Der Ableitungstyp "Verben mit dem Präfix '/BE/'" enthält z.B. unter anderem die Wortnischen "Ornativa" (/BEKLEIDEN, BESCHAEDIGEN/) und "Faktitiva aus Adjektiven" (/BEFREIEN, BERUHIGEN/).[87)]

Zu der auf zunächst formaler Basis angebauten Ordnung tritt die inhaltliche Gruppierung der Wortstände. Im Wortstand werden mehrere Nischen mit einheitlicher Sehweise zusammengefaßt, so wie im

---

86) Zuerst gedruckt als Aufsatz in WW (1958 b) und für Vier Stufen (1963) nur wenig geändert. In diesem Aufsatz wird mehrfach auf die ausführliche Diskussion der Probleme in Kräfte I und II (1962, 3.Aufl.) und in Verschiebungen (1958 a) hingewiesen. Unter besonderer Berücksichtigung sprachpflegerischer Aufgaben wird die Methode in Muttersprache (1964b) diskutiert.
87) Für die Beispiele siehe Verschiebungen (1958 a) passim.

Wortfeld mehrere Wörter inhaltlich geordnet werden. Z.B. bilden die "Ornativa" einen Wortstand, der aus den Nischen "einfache Ableitung" (/KLEIDEN/ aus /KLEID/), der "'/BE/'-Nische" (/BEKLEIDEN/), der "'/VER/'-Nische" (/VERSILBERN/) u.a.m. aufgebaut ist.

Laut- und inhaltbezogene Betrachtung sind in folgendem Schema dargestellt:[88]

lautbez. Betrachtg.		inhaltbez. Betrachtg.	
Ableitungstypen		Wortstände	
formale Eigenarten (Suffixform u.s.w.)	bedeutungsmäßige Eigenarten (Wortnischen)	formale Stützen (beteiligte Nischen)	zusammenwirkende Gruppen inhaltlicher Bestimmtheit (Varianten im Wortstand)

In den weiteren Stufen der Sprachbetrachtung wird nach der geistigen Leistung der Wortstände im Sinne der "energetischen Sprachbetrachtung" gefragt. Die Art des Zugriffs eines bestimmten formalen Bildungstyps auf die außersprachliche Welt wird in der 4. Stufe als sprachliche Interpretation der Welt aufgefaßt, die "die Grundlage für die tatsächliche Bewältigung der Lebenswelt" bildet.[89] Für die beiden letzten Stufen ist noch keine exakte Untersuchungsmethode erarbeitet worden, zumal das "Auffinden von geeigneten Fragestellungen selbst noch ein Problem" ist.[9o] Am Beispiel der "Akkusativierung des Menschen" wird gezeigt, wie vorgegangen werden könnte: die auffälligste Leistung der '/BE/'-Verben liegt zunächst rein grammatisch in ihrem transitiven Charakter; sie fordern als Objekt im Satz ein Wort im Akkusativ wie in /JEMANDEN BEKLEIDEN/. Dieses grammatische Phänomen bewirkt, daß alle solchermaßen '/BE/'-behandelten Personen im Akkusativ erscheinen. Eine kulturkritische Ausweitung der Interpretation in Richtung auf einen " I n h u m a n e n Akkusativ" ist dann nicht mehr vom Sprachwissenschaftler zu vertreten, der mit solchen außersprachlichen Kategorien nicht ohne Weiteres arbeiten

88) Stufen (1963, 221); das gleiche Schema leicht variiert findet sich Kräfte I (1962, 227) und (1958 a, 15).
89) (1963) 227
9o) ebda. 215

kann.[91]

Aber auch die sprachbezogenen Kategorien sind bei semantisch orientierten Untersuchungen, nicht nur bei WEISGERBER, problematisch, weil sie nicht im sprachlichen Zeichen allein faßbar und damit objektivierbar sind. Schon HENZEN, der ja selbst die Bedeutungsgruppen berücksichtigt, weist auf die methodischen Schwierigkeiten bei der inhaltlichen Gruppierung nach Nischen und Ständen hin, "vor allem, weil soundso viele Wortbildungsarten bei einer Darstellung nach lediglich inhaltlichen Gesichtspunkten gar nicht erfaßt würden."[92] Die Kriterien, nach denen die Bedeutungsgruppen aufgestellt werden, können nur intuitiv gewonnen werden. Auch in neueren, formal orientierten Ansätzen werden diese Kategorien axiomatisch eingeführt, ehe sie im Modell exakt manipuliert werden.[93]

4.13 Erben

ERBEN begründet in einem Aufsatz[94] die Notwendigkeit synchronischer Erforschung der Wortbildung und stellt ein entsprechendes Programm auf. Synchronische und diachronische Betrachtungsweise sollen sich ergänzen; die erste löst einzelne Wort-

91) Vgl. bes. Stufen (1963,15, Anm.).
92) HENZEN (1957,17) und vgl. oben 4.11.
93) Vgl. dazu MOTSCH, unten 4.14.
Ausführliche Vorschläge, wie eine formale Semantik im Rahmen der generativen Grammatik aussehen müßte, machen KATZ und FODOR (Language 3o (1963, 17o-21o). Sie entwerfen ein kompliziertes generatives Modell, in das sachbezogene Kategorien nach der Art "human-inhuman" eingebaut werden. CHOMSKY sieht ähnliches vor (1965). Einen sehr unkonventionellen Weg für die empirische Erforschung der Semantik versucht GARVIN (1966) mit dem predicative typing, bei dem mit Hilfe gesteuerter Paraphrasierungen mehrerer Informanten und statistischer Auswertung semantische Beziehungen zwischen Wörtern festgestellt werden sollen. Es handelt sich dabei um einen Versuch, eine operable Methode zu entwickeln.
In jedem Fall werden die Kristallisationspunkte für eine inhaltliche Ordnung, seien es WEISGERBERs Wortstandsbezeichnungen, MOTSCHs Transformationsrahmen (s.u. 4.14), KATZ/FODORs "semantic markers" oder GARVINs "predication types" intuitiv oder mit Hilfe außersprachlicher Kriterien aufgestellt. Die eigentliche "Objektivierung" kann erst beim Manipulieren dieser Axiome einsetzen. Vgl. auch 2.3 und bes. 2.31.
94) ERBEN (1964)

bildungsmittel aus ihrer Isolierung und deckt die Zusammenhänge des funktionalen Neben- und Miteinander auf, während die andere den "statischen Befund wieder in Dynamik, d.h. geschichtliche Bewegung" auflöst und "damit erst zum vollen Verständnis des synchronisch festgestellten" führt.[95] Das Neben- und Miteinander der Wortbildungselemente spiegelt sich im "allgemeinen Sprachsystem", bei dessen Beschreibung die bautechnischen Aspekte der Wortbildung und die Einführung in den Zeichenvorrat (Wortschatz) zu beachten sind.[96] Bei der Wortschatzerweiterung ist zweierlei zu berücksichtigen: erstens die Möglichkeit, neue Inhalte in Anlehnung an alte auszudrücken. ERBEN weist auf WEISGERBERs Begriffe Wortstand und Wortfeld (nach TRIER) hin; zweitens werden die Neubildungen in das in der Sprache vorhandene syntaktische System eingeordnet. Oft ist die Ableitung eines Wortes in eine andere Wortart der Zweck einer Neubildung. Hier ist auch der Zusammenhang zwischen "Wortbiegung, Wortfügung und Wortbildung" zu behandeln, zwischen denen "grammatisch gesehen eine bestimmte Auftragsverteilung .. im Sinne ... einer Kooperation" besteht.[97]

Der bautechnische Aspekt der Wortbildung handelt von den Bildungsmitteln, d.h. von den Typen der Zusammensetzung und den speziellen Wortbildungselementen bei der Ableitung, die ähnlich wie die Flexionsmorpheme eng mit den Wortarten verknüpft sind.[98] Aber im Gegensatz zur Flexion ist die Wortbildung kein starres sondern ein "offenes und anpassungsfähiges System".[99]

Als Methode für die Erforschung dieses dynamischen Systems nennt ERBEN die Ersatzprobe, bei der auf der Basis der Ordnung des Wortschatzes in Wortarten die einzelnen Formantien ausgetauscht werden und dann geprüft wird, "ob diese oder jene Morphemkombination noch sprachüblich oder möglich ist."[100] Als

---

95) ebda. 93, genauso verfährt und argumentiert MARCHAND (1960), vgl. bes. 8f.
96) ERBEN, a.a.O. 86.
97) ebda. 88.
98) Vgl. dazu EARL, bespr. in 4.16.
99) ERBEN (1964, 88).
100) Ebda. 86.

Kriterium für die Entscheidung, ob üblich oder nicht, soll das Sprachgefühl gelten, das ein wichtiger Faktor bei der synchronischen Sprachforschung ist.[101)]

ERBEN steckt den generellen Rahmen für eine synchronische Betrachtung ab. Mit den Stichworten "dynamisches System, Verbindung zu Flexion und Syntax, inhaltliche Bewertung" sind Detailuntersuchung und Einordnung in ein allgemeines grammatisches System unter formalen und inhaltlichen Gesichtspunkten angesprochen. Wie die konkreten Gegebenheiten im Einzelnen erforscht werden könnten, müßte allerdings noch festgelegt werden. Daß eine möglichst kontrollierte, exakte empirische Methode angestrebt wird, ist in den Hinweisen auf die Ersatzprobe und das Sprachgefühl angedeutet. Die "substitution technique" gestattet eine systematische Untersuchung, und das Sprachgefühl als Bewertungskriterium berücksichtigt den lebendigen Sprachgebrauch und nicht nur das bereits im Buch oder Lexikon fixierte Wort, trägt also der Offenheit des Systems Rechnung.

4.14 Motsch

Einen konkreten Vorschlag, wie die Wortbildung in der Syntax verankert ist und wie ihre bautechnischen Prinzipien im Rahmen eines generativen Modells zu untersuchen sind, macht MOTSCH in seinem Aufsatz "Zur Stellung der Wortbildung in einem formalen Sprachmodell".[102)] In seinem logisch-grammatischen Ansatz, der sich an CHOMSKYs generativer Grammatik und an HJELMSLEVs glossematischer Sprachtheorie orientiert, geht MOTSCH von einem streng formulierten axiomatischen Modell aus, für das er einen Teil der Wortbildung als Beispiel vorlegt. Für seine Definitionen und Strukturbeschreibungen gelten folgende Voraussetzungen:
1. Es gibt keine wissenschaftlich zu beschreibende Prozedur, die von den Beobachtungen am Phänomen Sprache zum Modell führt. Die induktiven "heuristischen Überlegungen" des Theoretikers, die zu den Axiomen führen, sind in der Theorie nicht enthalten sondern

101) Ebda. 84, wo Erben fordert, der Begriffsapparat für die synchronische Forschung sei zu überprüfen; z.B. sei "Sprachgefühl" wichtig für die Synchronie, "Rückbildung" für Diachronie.
102) MOTSCH (1965).

werden nur zur Erläuterung bei der Darstellung der Theorie herangezogen.
2. Die Begriffe sind im Rahmen des Modells auf Grund "syntaktischer Kriterien" - gemeint sind modellsyntaktische, "bautechnische" im Sinne ERBENs - definiert. Mit diesen Begriffen können "Grundsätze für die empirische Analyse abgeleitet werden", d.h. eine Deduktionsmethode kann spezifiziert werden.[103)]
3. Zur Erläuterung verwendet MOTSCH, wie auch CHOMSKY, die gängigen grammatischen Termini wie etwa "Satz, Verbalphrase, Substantiv, Stamm, Präfix" etc. Im Modell könnten genauso gut beliebige Zeichen verwendet werden; d.h. die Zeichen der formalen Notierung wären als rein algebraische Zeichen und nicht auch als Kürzel aufzufassen. Das würde den Modellcharakter unterstreichen, aber die Verständlichkeit für den Linguisten würde darunter leiden.

Die Struktur des MOTSCHschen Modells sei kurz erläutert. Es ist in mehrere Ebenen zergliedert, die hierarchisch angeordnet sind, und zwar so, daß die Ebenen aufeinander abbildbar sind. Die Einheiten innerhalb einer Ebene sind durch die Zugehörigkeit zu dieser Ebene und die Relationen innerhalb der Ebene definiert. Die oberste Ebene ist der Satz (axiomatisch eingeführt), die unterste die Morphemklasse (das Zeichen kann nur noch durch sprachliche Elemente, die Morpheme, ersetzt werden; analog können Konstruktionen auf höheren Ebenen durch Morphemkombinationen ersetzt werden).

Die Wortbildung wird auf derjenigen Ebene berührt, die dadurch eingeführt wird, "daß man die einzelnen Morphemklassen nach ihren syntaktischen Funktionen in Wurzeln, Präfixe, Derivationsmorpheme, Flexionsmorpheme einteilt."[104)] Die Termini sprechen für sich und können auch ohne Modellkontext verstanden werden. Welche Morphemklassensequenzen bzw. Morphemklassen nun Wörter bilden können, wird durch Regeln festgelegt. MOTSCH gibt eine schematische Darstellung in Form eines Baumes:[105)]

---

103) Ebda., Zitate 30ff.
104) Ebda. 36.
105) Ebda. 36.

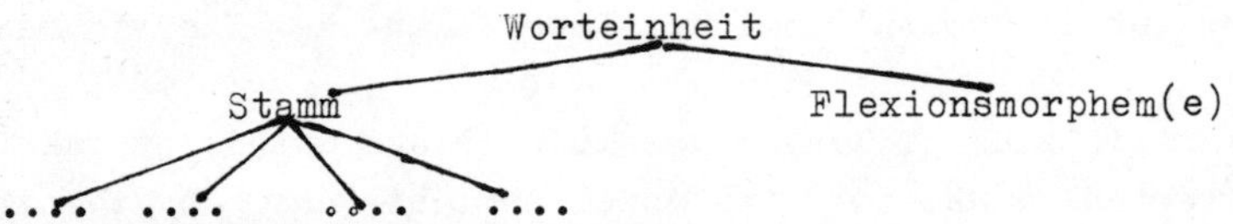

Worteinheit

Stamm Flexionsmorphem(e)

....

Stämme sind alle diejenigen Morphemsequenzen bzw. Morpheme, die mit den Flexionsmorphemen (-sequenzen) eine Konstruktion bilden; sie fallen entweder mit bestimmten Morphemklassen zusammen oder lassen weitere Ableitungen zu: "Ableitung" bezieht sich hier auf die im Modell gefaßten Regeln, die allerdings die Sprachwirklichkeit abbilden sollen. Diese weiteren Ableitungen werden von MOTSCH als die Wortbildung definiert.

Damit sind die wesentlichen Merkmale von MOTSCHs Modell beschrieben. Hinzu kommt eine kurze Diskussion über die Repräsentation der Morpheme durch Phonem- oder Graphemsequenzen, wobei die Probleme der grammatischen Kongruenz, des Umlauts u.ä. angeschnitten werden. Im Einzelnen und zur Erläuterung werden einige der im Deutschen bestehenden Verhältnisse an Hand von verschiedenen Stammstrukturen anschaulich untersucht, d.h. sowohl formal und explizit notiert als auch verbal erläutert. Das führt zur Konfrontation des Modells mit der Sprachwirklichkeit, den Beobachtungsdaten in MOTSCHs Terminologie. Zwei besonders wichtige Verknüpfungspunkte seien herausgestellt.

1. Einführen der Morpheme an den Endpunkten einer Ableitung, wo die Morphemklassensymbole durch sprachliche - hier zugleich linguistische[106] - Einheiten ersetzt werden.
2. Überprüfen der durch die generativen Regeln aufgestellten Hypothesen über ableitbare Wörter.

Unter Punkt 1 wäre der Status der Morpheme zu diskutieren. MOTSCH geht nicht näher darauf ein.[107] Deshalb soll in diesem Zusammenhang nur auf das Problem des Einführens von Beobachtungsdaten in Modell hingewiesen werden.[108] Dem Modell angemessen

106) Vgl. oben Abschnitt 2.
107) In Studia Grammatica I folgt ein Aufsatz von BIERWISCH über den "Status der Morpheme", (1965, 51-89).
108) Vgl. BACH (1964, 152/3), wo die Problematik extensionaler und intensionaler Definition der Morpheme in der generativen Grammatik eingehend besprochen wird.

wäre eine extensionale Einführung, also das Aufzählen aller Elemente einer Morphemklasse in Listen. Dieser Weg wird in der hier vorgelegten Untersuchung beschritten.

MOTSCH schließt den expliziten Teil der Ableitung mit der Fixierung eines systematischen Ortes für die Morphemklassen im Modell ab und gibt als Methode, wie die Daten eingeführt werden sollen, die Substituierbarkeit von sprachlichen Einheiten in bestimmten sprachlichen Äußerungen (grammatischen Konstruktionen) an.[109] Das gilt für die Endpunkte des Modells und für die höheren Ebenen. Welche Einheiten allerdings für welche Konstruktionen substituiert werden sollen, und wie man das entscheidet, wird nicht gesagt: es bleibt der Heuristik überlassen, die für MOTSCH in diesem Fall durch den Sprachgebrauch[110] repräsentiert ist. Während das Modell ein Spiegelbild des Sprachsystems darstellen soll, schlagen sich im Sprachgebrauch auch außersprachliche Einflüsse etwa soziologischer oder historischer Art nieder, die gegebenenfalls in eigenen Systemen festgehalten werden, etwa Soziolekten oder Etymologien.[111]

Das System gestattet "übliche" und "unübliche" Elementenkombinationen, denn: "prinzipiell ist es möglich, sich das Designat jeder beliebigen Elementenkombination vorzustellen, meist ist auch eine Situation denkbar, in der scheinbar sinnlose Kombinationen eine sinnvolle Aussage bilden."[112] Demnach ist eine klare Unterscheidung zwischen "üblich" und "unüblich" nicht möglich. Die jeweilige kommunikative Situation, der Kommunikationsbereich, muß beachtet werden. Das syntaktische Modell ist zu ergänzen durch ein semantisches, das die möglichen Kommunikationsbereiche in "beliebig vielen" Aussagensystemen festhält. Z.B. ist der Ausdruck /VERHEIRATETER JUNGGESELLE/ in einem Aussagesystem (Sozio-

---

109) Das entspricht der von ERBEN vorgeschlagenen Ersatzprobe, s.o. 4.13.
110) Ebda. 40f.
111) Hinter Sprachsystem und Sprachgebrauch stehen CHOMSKYs Begriffe "competence" und "performance", die wiederum auf SAUSSUREs "langue" und "parole" zurückgehen; vgl. CHOMSKY (1965), bes. S.4, wo auf SAUSSURE hingewiesen wird. MOTSCH hat CHOMSKYs Theorie im besprochenen Aufsatz natürlich in früheren Arbeiten, bes. (1957), kennengelernt.
112) Ebda. 42.

logie) unsinnig und in einem anderen (Beschreiben des Verhaltens gewisser Ehemänner) sehr wohl sinnvoll. MOTSCH schlägt vor, mit einer Transformation[113], bei der in je zwei konstanten Rahmen auf Grund gleicher Bedeutung substituiert wird, die Bedeutungsvarianten von Wörtern festzustellen, in einer Matrix nach Art der phonologischen Oppositionen darzustellen und entsprechende semantische Klassen als Unterklassen (!) zu den syntaktischen zu bilden. Z.B. wären "Substantiv + e(r)n" und "besteht aus + Substantiv" zwei solche Rahmen (/BLEIERN/ = besteht aus /BLEI/). Es soll hier nicht näher auf MOTSCHs Vorschläge zu einem semantischen Modell eingegangen werden. Der methodische Grundgedanke ist der gleiche wie beim Syntaxmodell: die Intuition des Linguisten, der über "gleiche Bedeutung" ja immer entscheiden muß - wobei Informanten herangezogen werden können - wird durch einen festen Rahmen gestützt und kann, wenn die Listen notiert sind, ausgeschaltet werden. Zudem wird für das syntaktische Modell Priorität vor dem semantischen gefordert.[114]

Zusammenfassend sei der Modellansatz folgendermaßen charakterisiert: es wird eine strikte Kontrolle der Metasprache und eine exakte Strukturbeschreibung der sprachlichen Gegebenheiten im Rahmen des Modells garantiert. Wenn das Modell allerdings mit der Sprachwirklichkeit konfrontiert und verifiziert werden soll, sei es durch Generieren sprachlicher Gebilde oder, in der Umkehrung des Formalismus, durch Identifizieren, ist die Kontrolle der richtigen Einsicht des Linguisten überlassen und nicht einer streng formalen Methode. Damit ist eine Gegenposition zum empirischen Ansatz gebildet. Für den Empiriker stellen gerade die discovery procedures das eigentlich Linguistische dar.[115] Für ihn wird das Klassifizieren und Identifizieren, die Belegung und Bewertung des Modells mit Sprachdaten, das Auffinden der im Modell

---

113) Transformation im Sinne CHOMSKYs und der "transformational generative grammar".

114) Zu den eher vorläufigen Vorschlägen MOTSCHs zu einem semantischen Modell soll hier nicht kritisch Stellung genommen werden, weil die Wortableitung, so wie sie in meiner Untersuchung behandelt wird, nur am Rande davon berührt wird. Vgl. auch die Diskussion semantischer Untersuchungen in 4.12, bes. Anm. 93.

115) Vgl. HARTMANN (1966), 22.

verwendeten Axiome und - geht er weiter zurück - das Aufstellen des Modelles selbst als Spiegelbild der beobachteten Sprachwirklichkeit zum zentralen Problem.

4.15 Schnelle und Kranzhoff

Der Ausgangspunkt für SCHNELLE und KRANZHOFF ist nicht die Wortbildung sondern die Frage nach der Struktur deutscher Wörter.[116] "(M)it Hilfe eines formalen Beschreibungssystems und seiner Aktivierung in einer automatischen informationsverarbeitenden Anlage" soll definiert werden, was deutsche Wörter sind und welche Struktur sie haben.[117]

Die methodische Grundvoraussetzung stimmt mit der von MOTSCH gemachten überein: die formale Beschreibung wird streng von der "heuristischen Intuition" getrennt, nicht um den "Wert hermeneutischen Durchschauens und Verstehens" der Zusammenhänge herabzumindern, sondern um "formale Klarheit über die Grundlage einer Einsicht" zu erzwingen.[118] Das bedeutet, daß die verwendeten Termini eigentlich nur im Rahmen des Systems (Modells) definiert sind, daß sie aber, wie auch bei MOTSCH, zunächst mit den traditionellen grammatischen Begriffen übereinstimmen. SCHNELLE/KRANZHOFF handeln von den Bedingungen für eine formale Beschreibung und von Programmierproblemen, nicht von empirisch-sprachwissenschaftlichen Überlegungen über das Auffinden von Beschreibungskategorien. Letztere werden den gegenwärtig verfügbaren Grammatiken und Abhandlungen entnommen.[119]

Der erste Teil des Aufsatzes bringt die noch nicht formalisierte Beschreibung und die formale Darstellung einer Wortgestaltgrammatik als Kategorialgrammatik. Der zweite Teil handelt von der Programmierung. Ich referiere zunächst den ersten Teil.

---

116) SCHNELLE und KRANZHOFF (1965 a und b)
117) (1965 a, 65)
118) (1965 a, 83)
119) Im Literaturverzeichnis sind, z.T. mit oben besprochenen Werken, WEISGERBER (1958 a,b; 1963, 1964), HENZEN (1957, 2.Aufl.), PAUL (192o), DUDEN (1959), ERBEN (1958) aufgeführt.

Das Wort wird als gegliedertes, aus kleineren Einheiten aufgebautes Gebilde aufgefaßt. Eine Strukturbeschreibung soll das Vorhandensein und die Relationen der kleineren Einheiten zueinander notieren. Dabei wird zwischen zwei Beschreibungsebenen unterschieden, die - in Anlehnung an CURRY[12o] - Phänogrammatik und Tektogrammatik genannt werden. Die Tektogrammatik handelt von der Struktur eines sprachlichen Gebildes in Laut- oder Schriftfolge. CHOMSKY unterscheidet analog zwischen 'deep structure' (Tiefenstruktur, entspr. der Tektogrammatik) und 'surface structure' (Oberflächenstruktur, entspr. der Phänogrammatik). Bekannt ist der Beispielsatz "They are flying planes", der in der Tiefenstruktur mehrere Beschreibungen zuläßt; in der Übersetzung werden die unterschiedlichen grammatischen Strukturen deutlich: "Sie fliegen Flugzeuge" oder "Sie sind fliegende Flugzeuge"; die Oberflächenstruktur bleibt gleich. Ein weiteres altbekanntes Beispiel ist lateinisch "amor dei", "Die Liebe Gottes" oder "die Liebe zu Gott". Im Rahmen der Phänogrammatik sind hingegen z.B. Umlautprobleme in der deutschen Deklination zu behandeln.

SCHNELLE/KRANZHOFF beschränken sich vornehmlich auf die tektogrammatische Beschreibung, die eine Gestaltbeschreibung und eine Inhaltsbeschreibung enthalten müßte. Zunächst wird nur die Gestaltbeschreibung angestrebt, weil "praktisch nur über diesen Bereich ausführliche grammatische Aussagen vorliegen".[121] Eine Gestaltbeschreibung sollte zwei Komponenten enthalten:[122]

"1. die Beschreibung der Gliederung in einzelne Wortbildungsbestandteile (M o r p h e m g l i e - d e r u n g)

2. eine kategoriale Charakterisierung jedes Gliedes (gestaltbezogene K a t e g o r i a l b e - s c h r e i b u n g)."

Demnach soll als erstes (Pkt.1) die Anzahl der in einem Wort enthaltenen Morpheme aufgezählt, denen dann (Pkt.2) grammatische Kategorien zugeordnet werden. Als solche Kategorien werden eingeführt:

12o) CURRY (1961)
121) SCHNELLE/KRANZHOFF (1965 a, 83)
122) Ebda.

<u>Wortkern</u>: kann unabhängig vorkommen
<u>Satellit</u>: kommt nur in Verbindung mit mindestens einem Wortkern vor; Satelliten unterscheiden sich phänogrammatisch je nach ihrer Stellung vor oder hinter dem Kern in <u>Präfixe</u> und <u>Suffixe</u>

<u>Substantiv</u>, <u>Verb</u>, <u>Adjektiv</u> : die üblichen Begriffe.
Weitere Kategorien werden nicht aufgeführt. Die Flexion mit den Flexionsformanten bleibt unberücksichtigt.

Aus der Verknüpfung der Kategorientypen ergeben sich folgende Morphemklassenbezeichnungen:

1. Kerne, die entweder Substantiv-, Verbal- oder Adjektivstämme sind.
2. Satelliten, die durch ein Kategorienpaar gekennzeichnet sind; sie können a) an ein Substantiv, Verb oder Adjektiv angefügt werden, und b) sie klassifizieren das resultierende Wort als Substantiv, Verb oder Adjektiv.

Die Gliederung der Wörter in Morpheme (Pkt 1 oben) kann nun als Folge von Kategorien notiert werden (Pkt 2). Folgendes Beispiel wird gegeben:[123]

<u>Kategf</u>.: Verbal, (Verbal,.Subst.) Substantiv
<u>Morphemf</u>.: ERSCHAFF + UNG ERSCHAFFUNG

Das "+"-Zeichen der Morphemfolge soll dem ","-Zeichen der Kategorienfolge als Verknüpfungszeichen entsprechen. Für die endgültige Form der SCHNELLE/KRANZHOFFschen <u>Strukturbeschreibung</u> werden außerdem noch die Kategorien K(Kern) und - für die Satelliten phänogrammatisch unterschieden - P (Präfix) und A (Suffix) berücksichtigt. Außerdem wird bei den Satelliten in der Strukturbeschreibung die jeweilige Anfügkategorie, die mit der Resultatkategorie des vorhergehenden Gliedes übereinstimmt, gestrichen ("gekürzt" im Sinne der Kategorialgrammatik s.u.). Eine Strukturbeschreibung des Wortes /UNVERBINDLICHKEIT/ ergibt folgende Kategorien- und Morphemfolge:

K/.Verb,P/.Verb,A/.Adj,P/.Subst,A/.Subst.
BIND + VER + LICH + UN + KEIT

123) Ebda. 85.

Eine solcherart "locker formulierte" Wortgestaltgrammatik wird in einem weiteren Abschnitt unter formalen Gesichtspunkten exakt notiert in Form einer Kategorialgrammatik nach BAR-HILLEL.[124]

Als Vorlage für die Programmierung wird als formale Umkehr der Kategorialgrammatik eine zugeordnete Satzgliederungsgrammatik (Phrase Structure Grammar) gebildet. In einem weiteren Schritt hat SCHNELLE "einen signifikanten Teil" der Kategorialgrammatik in der mathematischen Form eines finiten Automaten dargestellt und als Transitionsgraph eines Automaten aufgezeichnet.[125]

Der zweite Teil des Aufsatzes behandelt die Programmierung eines Computers. Der Computer soll den Strukturbeschreibungen die entsprechenden Wörter zuordnen, indem er den einzelnen Gliedern die entsprechenden Morpheme aus Listen zuordnet und die Morpheme in phänogrammatisch korrekter Reihenfolge zu Wörtern zusammenfaßt. Es sind nur wenige Morpheme und Strukturbeschreibungen ad hoc zur Demonstration ausgewählt. Außerdem decken sich grammatische Theorie und Programmierung "auf Grund einer parallelen Entwicklung von Grammatik und Programm" nicht.[126] Deshalb sollen das Programm und die Beispiele hier nicht im Einzelnen besprochen werden, zumal die Programmierprobleme anhand eines abgewandelten Programmes im Forschungsbericht 66/5 des IPK der Universität Bonn von mir selbst eingehend geschildert sind.[127] Dort wird auf das KRANZHOFFsche Programm verwiesen. Die in Abschnitt 3.12 beschriebenen und für die vorgelegte Untersuchung verwendeten Programme sind allgemeinerer Art und nicht ad hoc entstanden.

Hier soll unterstrichen werden, daß SCHNELLE und KRANZHOFF gezeigt haben, daß eine Wortstrukturuntersuchung mit einem Computer vom Formalen her gesehen sinnvoll ist und daß der Versuch lohnend erscheint, eine größere Untersuchung mit sprachwissenschaftlich kritisch geprüften Daten und flexibleren Computerprogrammen zu unternehmen.

---

124) BAR-HILLEL et. al. (1964).
125) SCHNELLE (1966).
126) SCHNELLE/KRANZHOFF (1965 b,65).
127) BÜNTING (1966 a).

Der SCHNELLE/KRANZHOFFsche Absatz ist von mir selbst zunächst weiterentwickelt worden, wie in BÜNTING (1966 a) ausführlich dargelegt ist. Die formalen Aspekte der Beschreibung morphologischer Strukturen deutscher Wörter weichen von SCHNELLEs Konzeption nicht ab. Bei der konkreten Arbeit mit Morphemen zeigte es sich allerdings bald, daß mit einem allgemein gehaltenen Formalismus und nur wenigen Morphemkategorien die Vielfalt der Erscheinungsformen - zumal in phänogrammatischer Hinsicht (Ab- und Umlaute) - nur sehr grob erfaßt werden konnten. Aus der intensiven Beschäftigung mit den Morphemen als Grundeinheiten der Wörter ist die vorgelegte Dissertation entstanden.

4.16 Computerorientierte Wortstrukturuntersuchungen

Abschließend ist noch über drei Projekte zu berichten, bei denen Wortstrukturen mit Computern untersucht werden.

VEILLON u.a.[128] gehen vom Computer aus und versuchen am Beispiel deutscher Zusammensetzungen, eine Grammatik in Form eines finiten Automaten aufzustellen. Ohne eingehende linguistische Studien werden ad hoc Klassen sprachlicher Elemente nach "signifiant"-Kriterien gebildet und die Wörter nach möglichen Konkatenationen untersucht. Formal besteht gegenüber SCHNELLE kein wesentlicher Unterschied. Die rein computerorientierte Betrachtungsweise sprachlicher Befunde vermischt reine Kode-Probleme und grammatisch relevante aber intuitiv eingeführte Information. An dieser Arbeit wird deutlich, wie wichtig eine eingehende linguistische Absicherung ist, wenn man einen Computer gewinnbringend einsetzen will.

Gleiches gilt für den Versuch von HENKE[129], einen Algorithmus zum Zerlegen von Wörtern in "Morpheme" zu konstruieren und zu programmieren. Die Ergebnisse des Computerprogrammes enthalten so viele falsche Zerlegungen, daß die Forderung nach besserer linguistischer Vorbereitung erhoben werden muß.

---

128) VEILLON u.a. (1965).
129) HENKE (1965).

DOLBY und RESNIKOFF und, als Mitarbeiter am gleichen Projekt, EARL sind gerade in dieser Hinsicht sorgfältiger.[130] In ihrem empirischen Ansatz diskutieren sie zunächst Quellen (Wörterbücher) und Methode (distributionell) und arbeiten dann, aufbauend auf einer distributionellen Untersuchung möglicher Buchstabenkombinationen (Language (1964)), auf eine umfassendere Untersuchung über englische Affixe und schließlich Rückschlüsse auf Wortartzugehörigkeit hin. Der Computer wird als schnell und sicher funktionierender Bearbeiter vieler sprachlicher Daten eingesetzt. In dem Projekt werden - dank des Computers - die distributionellen Methoden des Strukturalismus einmal an einem wirklich umfangreichen Korpus von Daten erprobt. Die bisher vorgelegten Ergebnisse zeigen, wie fruchtbar der Computer verwendet werden kann.

4.17 Zusammenfassung des Literaturüberblicks

Die Diskussion der verschiedenen Arbeiten hat gezeigt, wie vielseitig das Phänomen Wortbildung und spezieller Wortableitung betrachtet werden kann. Dabei herrscht im Großen und Ganzen Einigkeit darüber, was Wortbildung bzw. -ableitung ist: die Möglichkeit, aus einem oder mehreren Wörtern oder Affixen neue Wörter zu bilden. Die genaue Definition ist bei den einzelnen Linguisten dann allerdings abhängig vom Untersuchungsverfahren und von einer explizit oder implizit zu Grunde gelegten Sprachtheorie. So ist für SCHNELLE und KRANZHOFF die Wortableitung ein Teil der Wortgestaltgrammatik, für MOTSCH ein Teil des generativen, transformationellen Syntaxmodells. Beide stützen sich dabei ohne nähere Erläuterung auf die traditionellen grammatischen Kategorien, die auch HENZEN, WEISGERBER und ERBEN ohne Diskussion zur Abgrenzung und näheren Bestimmung heranziehen:

1. Die Wortableitung hängt eng mit der Klassifizierung von Wörtern nach Wortarten zusammen, hat aber eine andere Funktion als die Flexion.

---

130) DOLBY/RESNIKOFF (1964), (1966 a,b);
EARL (1966 a,b).

2. Die auffälligste Funktion der Wortableitung betrifft den Ausbau des Wortschatzes, das Ausdrücken verschiedener Inhalte bzw. Bedeutungen durch die Kombination einzelner Sprachelemente.

Über die beste Untersuchungsmethode herrscht allerdings weniger Einigkeit. MOTSCH und SCHNELLE/KRANZHOFF gehen von einem Modell aus, das an wenigen Beispielen entwickelt wurde, und sichern die formale Richtigkeit ihres Beschreibungsmechanismus. WEISGERBER hat weitaus mehr Beispiele für spezielle Ableitungstypen, entwickelt aber sein Gesamtschema an weniger Beispielen. HENZEN bietet eine große Fülle historischen Materials.

Eine synchronisch orientierte, empirische Materialuntersuchung mit wenigen aber explizierten und strikt angewandten Ordnungskriterien, die gezielt "Ableitungstypen" zusammenstellt, scheint vom sprachwissenschaftlichen Standpunkt her auf jeden Fall eine lohnende Aufgabe zu sein.

Nimmt man als methodisches Untersuchungsziel hinzu, daß die Verwendbarkeit eines Computers für sprachwissenschaftliche Aufgaben erprobt und demonstriert werden soll, erscheint eine empirische Untersuchung doppelt gerechtfertigt.

4.2 Einige theoretische Anmerkungen zur Wortableitung

In Abschnitt 2.5 wurde die morphologische Struktur abgeleiteter Wörter mit der Formel K+A(+A)(+Fl) erfaßt und folgendermaßen verbal erläutert: "Ein abgeleitetes Wort enthält einen und nur einen Kern, mindestens ein Affix und möglicherweise ein oder mehrere Flexionsmorpheme."

Traditionellerweise und in diachronischer Sicht auch gerechtfertigterweise werden zu den abgeleiteten Wörtern auch solche einfachen Wörter gerechnet, bei denen man auf Grund von Lautwandel, abgefallenen Affixen o.ä. einen "Ableitweg" rekonstruieren kann. Für die vorgelegte synchronische Untersuchung wurden diese Fälle aus der Ableitung ausgeklammert und als Homographen klassifiziert (2.72). Das bedeutet, daß die abgeleiteten Wörter m o r p h o l o g i s c h von den kleineren Spracheinheiten her analysiert werden und nicht, wie MOTSCH postuliert (vgl. 4.14), vom Satz als umfassender Einheit. Allerdings ist die S y n t a x bei der Klassifizierung der Kernmorpheme in gewisser Hinsicht berücksichtigt (Phrasendetermination 2.62).

Ausgehend von der sehr allgemein gehaltenen Formel K+A(+A)(+Fl) lassen sich folgende Fragen zur Wortableitung stellen: Welche Kerne kommen zusammen mit welchen Affixen vor? In welcher Reihenfolge stehen die Morpheme im Wort? (Phänogrammatik nach SCHNELLE und CURRY, vgl. 4.15). Welche grammatischen und semantischen Bedeutungen haben die Affixe? Diese Fragen stecken einen sehr weiten Rahmen ab. In der hier vorgelegten Arbeit soll nur exemplarisch angedeutet werden, wie mithilfe eines Computers und des erarbeiteten und analysierten Kernmaterials ein möglicherweise fruchtbarer Weg für eine Wortableitungsforschung gefunden werden kann.

Als begrifflicher Ausgangspunkt bietet sich WEISGERBERs A b l e i t u n g s t y p an, der sich in WEISGERBERs Konzeption auf die "lautliche", und das heißt hier "graphematische", Seite bezieht. Im Ableitungstyp ist ein fester Rahmen von Morphemen gegeben, in dem Kerne substituiert werden können. Die Substitution soll vom Computer vorgenommen werden. Solcherart künstlich gebildete, hypothetische "Wörter" werden dann - wiederum per

Computer - mit einem Wörterbuch (einem Teil des W.A.W.) verglichen. Auf diese Art ist die Materialsammlung problemlos zu bewältigen.[131] Zugleich ist durch die im künstlichen Kode fixierte grammatische Information eine erste Klassifizierung der Ableitungstypen nach den grammatischen Kategorien der Kerne möglich.

Die Ableitungstypen sind zunächst in zweifacher Hinsicht bestimmt. Erstens durch die ihnen zu Grunde liegenden allgemeinen Strukturformeln; die Formeln sind bei den Ableitungstypen schon phänogrammatisch spezifiziert. Zweitens durch die qua Sprachkörper (Graphemfolge) fixierten Affixe, die phänogrammatisch als Präfixe oder Suffixe bestimmt sind. Als weitere grammatische Bedeutungen werden den abgeleiteten Wörtern und speziell den Affixen eine oder mehrere Wortartkategorien zugeordnet. Durch Flektieren läßt sich das leicht verifizieren. Auch hier, wie bei den Kernen, kann Homographie auftreten, wie z.B. beim Suffix '/IG/' im Adjektiv /STEINIG/ und im Verb /REINIGEN/. Den meisten Affixen, bzw. den Wörtern, die die Affixe enthalten, ist eine Wortart eindeutig zugeordnet; sie sind Haplographen in Bezug auf die Wortarten.

---

131) Vgl. HENZEN (1965) und oben 4.11 sowie WEISGERBER (1958 a, bes. 17f und Anlagen) und oben 4.12.

5. Empirische Untersuchung zur Wortableitung

Im Rahmen der hier vorgelegten Arbeit werden nur einige Ableitungstypen behandelt; es ist eines der Ziele der Untersuchung, exemplarisch zu zeigen, wie die Wortableitung mit einem Computer erforscht werden könnte.

Auch mit nur 7 Ableitungstypen, angewandt auf alle 2759 Kerne, wurden 7x2759 = 15o13 "Wörter" gebildet.[132] Alle diese "Wörter" wurden - wiederum per Computer - mit einem Teil des W.A.W. (s.o. 3.21) verglichen, und zwar mit den nicht als Fremdwort oder Fachsprache etc. gekennzeichneten Substantiven, Verben und Adjektiven (insgesamt mit 36876 Records = Wörtern). Die Kerne wurden in bestimmten Spalten für jeden Ableitungstyp markiert (s.u.). Die Markierung wurde in die allgemeine Kernliste (Liste 1 des Anhangs) eingearbeitet. Für die als belegt klassifizierten Resultate wurde maschinell eine Auswertung auf Grund der grammatischen Kategorien der Kerne vorgenommen. Für einige der Ableitungstypen (die Adjektivierungen) wurden zudem die Kerne maschinell verglichen.

5.1 Verwendete Ableitungstypen

Folgende Ableitungstypen wurden für die künstliche Wortableitung verwendet:[133]

Substantive	vom	Typ	/...-CHEN/	Beisp.	/BROETCHEN/
"	"	"	/...-UNG/	"	/BINDUNG/
Verben	"	"	/BE-...-EN/	"	/BERATEN/
"	"	"	/BE-...-IG-EN/	"	/BEREINIGEN/
Adjektive	"	"	/...-BAR/	"	/FRUCHTBAR/
"	"	"	/...-LICH/	"	/GLUECKLICH/
"	"	"	/UN-...-LICH/	"	/UNGLUECKLICH/

---

132) Vom Computer her gesehen ist das wenige Material, für das "heuristische System" Linguist hingegen eine im Einzelnen nicht mehr überschaubare Menge.

133) Die Ableitungstypen werden nach folgendem Schema notiert: /PRÄFIX-...-SUFFIX bzw. FLEXIONMORPHEM/; die drei Punkte markieren die Stelle der Kerne.

5.11 Begründung der Auswahl

Die Auswahl der Ableitungstypen erfolgte unter verschiedenen Gesichtspunkten.

/...-CHEN/	: Linguistischer Gesichtspunkt: anhand der Wortartklassifizierung der Kerne kann überprüft werden, ob Wortartwechsel tatsächlich kaum, und dann nur bei Adjektiven eintritt (vgl. HENZEN (1965) § 94).
/...-UNG/	: Wortartwechsel
/BE-...-EN/	: Technischer Gesichtspunkt: Präfigierung und Suffigierung bei einem Kern; Linguistischer Gesichtspunkt: Vergleich mit einer umfangreichen Sammlung und damit Erprobung des Verfahrens war möglich.[134]
/BE-...-IG-EN/	: Ein mehrgliedriger Ableitungstyp; Vergleich wie bei /BE-..-EN/.
/...-BAR/ /...-LICH/ /UN-...-LICH/	: Linguistischer Gesichtspunkt: Vergleich der Kerne belegter Adjektivierungen; Ausmaß der Umlautungen bei '/LICH/'.

5.12 Vergleich mit einem Wörterbuch

Aus Tabelle 3 (umseitig) ist zu entnehmen, wie viele der einzelnen künstlichen Ableitungen belegt sind und wie viele nicht. Die Tabelle enthält die absoluten und die relativen Zahlen.[135] Außerdem wird in der letzten Spalte auf die Listennummer im Anhang verwiesen.

---

134) WEISGERBER (1958 a, Anlage 1); s.u. 5.331.

135) Die Ausgangszahl ist 2759 = 100%; die relativen Zahlen sind auf eine Stelle hinter dem Komma abgerundet; deshalb ergibt die Summe der belegten und nicht belegten nicht immer 100,0%.

Tabelle 3 : Überblick zur Wortableitung

Ableitungstyp	belegt abs.	belegt rel.	nicht belegt abs.	nicht belegt rel.	Listennr.
/...-CHEN/	87	3,2	2672	96,8	3
/...-UNG/	313	11,3	2446	88,6	4
/BE-...-EN/	347	12,6	2412	87,4	5
/BE-...-IG-EN/	2o	o,7	2739	99,2	6
/...-BAR/	86	3,2	2673	96,8	7
/...-LICH/	139	5,o	262o	94,9	8
/UN-...-LICH/	29	1,1	273o	98,9	9

5.13 Erläuterung der Listen 3 - 9 des Anhangs:

Wie in Tabelle 3 angedeutet, sind die belegten Ableitungen im Anhang in Listen abgedruckt. Die Zeilen in den Listen entsprechen wie bei den Kernlisten den Magnetbandrecords.

Der künstliche Kode wurde auf die Spalten 5o-56 ausgedehnt, wobei in einer Spalte jeweils "Y" für "belegt" steht, im Einzelnen:

Sp 5o für /...-CHEN/
51 " /...-UNG/
52 " /BE-..-EN/
53 " /BE-...-IG-EN/
54 " /...-BAR/
55 " /...-LICH/
56 " /UN-...-LICH/

5.14 Ergänzung der Grundliste

Die Information über das Vorkommen der einzelnen Kerne in den verschiedenen Ableitungen (Ableitungstypen) ist in der Grundliste nochmals enthalten, wobei ein "Y" bei Vorkommen und ein "-" bei Nichtvorkommen in den Sp 5o - 56 (1o. - 16. Marke) erscheint.

5.2 Diskussion der Resultate vom linguistischen Standpunkt

5.21 Allgemeines

Generell ist zunächst zu sagen, daß die Belegungshäufigkeit von - im Durchschnitt - 5,3% mit einem Minimum von o,7 % für /BE-...-IG-EN/ und einem Maximum von 12,6% für /...-UNG/ nicht sehr hoch ist. Abgesehen davon, daß Ableitungen ohne Berücksichtigung der Kernwortart nicht allgemein gültig sind (vgl. die differenzierte Analyse Abschnitt 5.22), gibt es noch einige der Untersuchungsprozedur anzurechnende Gründe, die allerdings die Akzeptabilitätsquote kaum wesentlich beeinflußt haben dürften.

Mein eigenes Sprachgefühl ist mit dem W.A.W. in verschiedenen Fällen nicht einverstanden. Während ich einige der belegten Ableitungen nicht akzeptieren würde, wie z.B. /AESTUNG/ oder /KUNDBAR/, würde ich andererseits eine Reihe der nicht belegten akzeptieren wie z.B. /BADUNG, BELACHEN, MONATLICH/.[136] Gerade hier zeigt sich, wie gut die künstliche Ableitung der Offenheit des Systems Rechnung trägt. Bei einer umfassenden Analyse müßten selbstverständlich andere Wörterbücher hinzugezogen werden. Leider stand kein weiteres Wörterbuch in maschinenlesbarer Form zur Verfügung.

Zudem erwies es sich als nicht vorteilhaft, daß das Vergleichsmaterial des W.A.W. auf die nicht als Sondersprache, Mundart usw. gekennzeichneten Wörter beschränkt war; denn auch Wörter, die neben einer sondersprachlichen Bedeutung eine normale umgangssprachliche Bedeutung haben, sind auf diese Weise eliminiert worden. Das gilt auch für die Kernliste. Als Beispiele seien /BEKLEBEN/ (mitteldeutsch), /BELANGEN/ (schweizerisch), /SCHNUEREN/ (Jägersprache) und /SCHOEPFEN/ (Jägersprache) angeführt.

Die Auswertung der künstlichen Wörter stellt jedenfalls kein geringes Problem dar, das in einer gesonderten Untersuchung behandelt werden müßte. Es wäre z.B. auch an eine umfangreiche In-

---

136) Das letzte ist wohl eher irrtümlich nicht belegt bzw. durch weiter unten erläuterte Gründe ausgefallen.

formantenbefragung zu denken, um heute gebräuchliche aber nicht gebuchte Wörter herauszusortieren.

Trotz dieser kritischen Einwände wurde für die weitere Analyse von den belegten Wörtern ausgegangen. Wichtiger als die absoluten Zahlen sind dabei wohl die relativen Zahlen, aus denen die allgemeinen Ableitungstendenzen hervorgehen.

5.22 Auswertung nach grammatischen Kategorien

Für eine erste Analyse wurde der Computer herangezogen, mit dessen Hilfe die belegten abgeleiteten Wörter nach den grammatischen Merkmalen klassifiziert wurden. Aus Tabelle 4 (umseitig) ist zu entnehmen, wie viele Kerne bei den einzelnen Ableitungstypen jeweils Haplographen einer Wortart sind und wie viele Homographen. Bei den Haplographen wird außerdem nach dem jeweiligen Allostatus unterschieden.

Notiert sind wiederum die absoluten und die relativen Zahlen; bei den letzteren ist jeweils die Anzahl der belegten Wörter gleich 100%, also z.B. beim Typ /...-CHEN/ ist 87 = 100%.[137)]

137) Die relativen Zahlen sind nur auf eine Stelle nach dem Komma berechnet; die Summe ergibt nicht immer 100,0%.

Tabelle 4: Auswertung der belegten Wortableitungen nach grammatischen Kennzeichen

ABLEITUNGS-TYP	bel.	HAPLOGRAPHE SUBSTK.						HAPLOGRAPHE VERBALK.						HAPLOGRAPHE ADJEKTIVK.						HOMO-GRAPHE	
		total		Grundf.		Allof.		total		Grundf.		Allof.		total		Grundf.		Allof.			
		a	r	a	r	a	r	a	r	a	r	a	r	a	r	a	r	a	r	a	r
...-CHEN	87	23	26,4	16	18,4	7	8,0	15	17,2	12	13,9	3	3,4	3	3,4	3	3,4	-	-	46	53,0
...-UNG	313	34	10,9	24	7,7	1o	3,2	115	36,7	115	36,7	-	-	11	3,5	1o	3,2	1	o,3	156	49,5
BE-...-EN	347	45	13,o	42	12,1	3	o,9	14o	4o,3	137	39,5	3	o,9	7	2,o	7	2,o	-	-	155	44,7
BE-...-IG-EN	2o	2	1o,o	2	1o,o	-	-	6	3o,o	5	25,o	1	5,o	2	1o,o	2	1o,o	-	-	1o	5o,o
...-BAR	86	8	9,4	7	8,2	1	1,2	36	41,9	36	41,9	-	-	-	-	-	-	-	-	42	48,8
...-LICH	139	29	2o,8	27	19,4	2	1,4	37	26,6	33	23,7	4	2,9	11	7,9	11	7,9	-	-	62	44,5
UN-...-LICH	29	3	1o,3	3	1o,3	-	-	15	51,7	14	48,3	1	3,4	-	-	-	-	-	-	11	37,9

a = absolute Häufigkeit
r = relative Häufigkeit

5.3 Kritische Analyse der Auswertung

Die Auswertung läßt sich unter zwei Gesichtspunkten betrachten: Wortart und Umlaut.

Über die umlautende Wirkung von Ableitungssuffixen lassen sich indirekt aus der Alloformklassifizierung Rückschlüsse ziehen. Für eine genaue Analyse müßten die Graphemstrukturen der Kerne entsprechend betrachtet werden. Das Umlautproblem wird hier nur am Rande erwähnt, weil die Alloklassifizierung der Kerne in diesen Problemkreis hineinführt (vgl. dazu 6.221).

Wichtiger ist die Wortartklassifizierung, die ja auch im Zentrum der Kernmorphemuntersuchung steht. Den Affixen wurde in Abschnitt 2.423 "Wortartbedeutung" und "semantische Bedeutung" zugeschrieben. Die Kategorien, die den Ableitungssuffixen als linguistische Einheiten zugeordnet sind, lassen sich auf die mit ihnen operierenden Ableitungen (Ableitungstypen) übertragen, so wie es MARCHAND vorschlägt[138], der zwei Arten von "derivations' einführt: (1) "functional or transpositional" und (2) "semantic". MARCHAND bringt als Beispiel das Englische Substantiv /WRITER/ abgeleitet vom Verb /WRITE/; im Kontext "x is writer of a document" handelt es sich um eine "functional derivation" bei der der semantische Gehalt des Verbums nur substantiviert wird; im Kontext "x is a writer = author" gibt es "additional semantic content". Eine Zusammenfassung, Beschreibung und metasprachliche Fixierung des semantischen Gehalts der Ableitungstypen würde so etwas wie WEISGERBERs Nischen ergeben (s.o. 4.12). Eine solcherart semantisch orientierte Analyse wird hier, wie oben in Abschnitt 2.31 ausführlich begründet, nicht versucht.

Dagegen wird auf die funktionale oder transpositionelle Komponente der Ableitungen an Hand der Auswertung näher eingegangen.

Die Affixe bringen in einen Ableitungstyp nicht nur ihre graphematische Form sondern als grammatische Bedeutung eine Wortartdetermination ein (vgl. 2.423): ein Wort mit dem Suffix

---

138) MARCHAND (1966, 138)

'/CHEN/' als letztem Element ist immer Substantiv, zudem Neutrum (vgl. Phrasendetermination, 2,62); ein Wort mit dem Suffix '/LICH/' als letztem Element ist immer Adjektiv. Komplizierter liegt es bei den Präfixen, die nicht immer die Wortart eines Wortes bestimmen: neben /UNGLUECK/ steht /UNSCHOEN/, neben /BEFEHLEN/ (mit Infinitivendung) steht das Substantiv /BEFEHL/, neben /VERBLEIBEN/ steht /VERBLEIB/. In den letztgenannten Fällen mit '/BE/' und '/VER/' ist man allerdings prima vista geneigt, von eindeutig verbalisierenden Präfixen zu sprechen, und eine genaue Analyse würde wohl auch ergeben, daß zu jedem Substantiv ein entsprechendes Verb existiert und das der Ableitweg vom Verbum zum Substantiv führt. Eindeutige Wortarthomographie liegt jedoch beim Suffix '/IG/' vor, das sowohl Adjektiv (/BISSIG, FAHRIG/) als auch Verb (/REINIGEN/) anzeigen kann.

Die in der vorgelegten Arbeit verwendeten Ableitungstypen sind eindeutig auf eine Wortart festgelegt: /...-CHEN/ und /...-UNG/ auf Substantiv, /BE-...-EN/ und /BE-...-IG-EN/ unter Hinzunahme des Flexionsmorphems '/EN/' auf Verb und /...-BAR/, /...-LICH/ sowie /UN-...-LICH/ auf Adjektiv. Als Termini für die Wortableitung durch die Affixe sollen S u b s t a n t i v i e r u n g, V e r b a l i s i e r u n g und A d j e k t i v i e r u n g gelten. Das ist eine nur auf das Resultat einer Zusammenfügung von Kern und Affix hinweisende Bezeichnung. Sie besagt nicht, daß in jedem Fall ein Kern einer anderen Wortart substantiviert worden ist.[139] Andererseits seien die abgeleiteten Wörter je nach Wortart des Kernes D e s u b s t a n t i v a, D e v e r b a t i v a oder D e a d j e k t i v a genannt. Die entsprechenden Kategorien könnten auch den Affixen zugeordnet werden.

---

139) Vgl. dazu MARCHANDs Unterscheidung zwischen "derivation" und "expansion", (1967).
In BÜNTING (1966 a) sind die zwei einem Ableitungstyp und damit Affix zugehörenden Wortbedeutungen mit den Begriffen "Anfügkategorie" und "Resultatkategorie" bezeichnet; z.B. ist '/UNG/' anfügbar an einen Verbalkern, das Resultat ist ein Substantivstamm.
Für die untersuchten Ableitungstypen vgl. Tabelle 4.

Bei der Analyse der einzelnen Ableitungstypen wird weniger auf die reichlich belegten Kernklassen zu achten sein, aus denen die allgemeine und dominierende Ableitungsmöglichkeit hervorgeht, sondern mehr auf die weniger belegten Fälle. Als Fazit sind jedoch die dominierenden produktiven Klassen besonders hervorzuheben.

Für die Homographen, die nicht detailliert ausgewertet worden sind, wird angenommen, daß sie sich in Bezug auf einen Ableitweg so verhalten wie die Haplographen der einzelnen Klassen; d.h. z.B. bei belegter Dominanz von Desubstantiva und kaum oder gar nicht belegten Deverbativa wird für die Substantiv- Verbal-Homographen angenommen, daß der Substantivkern abgeleitet wurde.

5.31 /...-CHEN/[140]

5.311 Wortart

Die meisten Ableitungen nach diesem Typ enthalten erwartungsgemäß (vgl. HENZEN (1965, § 92-94)) Substantivkerne (26,4% bei den Haplographen und sonst bei den Homographen). Zu den drei belegten deadjektiven Haplographen /ALTCHEN, GEHLCHEN, KLEINCHEN/ könnten nach meinem Sprachgefühl weitere von den erzeugten nicht belegten hinzugefügt werden, etwa /BRAUNCHEN, DUMMCHEN, HOLDCHEN/. In jedem Fall scheint es sich mehr oder weniger um ad-hoc Bildungen zu handeln, die kaum "buchenswert" sind. Insofern sind die drei belegten Bildungen wohl mehr zufällig im Wörterbuch enthalten.

Erstaunlich scheint jedoch, daß Deverbativa mit 17,2% an den Ableitungen beteiligt sind. Es handelt sich um folgende Wörter:[141] /BUERSTCHEN, ENDCHEN, HAEUFCHEN, HUELLCHEN, KETTCHEN, MERKCHEN, RINNCHEN, RITZCHEN, SCHIPPCHEN, STIMMCHEN, STREIFCHEN, WIPPCHEN,

140) Zur Besprechung vgl. jeweils Tabelle 4, Abschn. 5.22 und die Listen 3 - 9.

141) Vgl. den Fehlerkommentar (7.2) zu den hier ausgelassenen /KRAENZCHEN, SCHRAENKCHEN, HAEUTCHEN/, die in den Listen leider falsch klassifiziert sind; in Tabelle 4 ist die Korrektur berücksichtigt.

BRAETCHEN, KLAEUCHEN, SCHNITTCHEN/. In allen Fällen handelt es sich jedoch kaum um echte Deverbativa sondern um Ableitungen von zuvor abgeleiteten Substantiven mit wieder ausgefallenen Ableitungssuffixen '/E, EN, ER/': /BUERST-E, END-E, HAUF-EN, HUELL-E, KETT-E, MERK-ER, RINN-E, RITZ-E, SCHIPP-E, STIMM-E, STREIF-EN, WIPP-E, BRAT-EN, KLAU-E, SCHNITT-E/.

Hier zeigt sich die "Unbestechlichkeit" des Computers bei der Auswertung nach den explizit notierten Merkmalen, die zunächst falsche oder zumindest irreführende Ergebnisse bringt. Die Lückenlosigkeit allerdings, mit der alle scheinbaren Deverbativa als Desubstantiva erklärt werden konnten, bezeugt die Richtigkeit der Desubstantiv-Hypothese. Zudem wird die Brauchbarkeit der Computerprozedur gezeigt, wenn eine kritische Auswertung folgt. Im Rahmen einer umfangreichen Untersuchung, bei der auch Ableitungstypen wie /...-E/ behandelt würden, wäre aus der "ergänzten Kernliste" der korrekte Ableitungsweg abzulesen.

Fazit: im Ableitungstyp /...-CHEN/ werden überwiegend Substantivkerne "abgeleitet", besser wäre MARCHANDs Terminus "expandiert".[142] In Einzelfällen werden Adjektivkerne abgeleitet. Deverbativa gibt es nicht.

5.312 Umlaut

Die Belege bestätigen HENZEN (1965, §93c); '/CHEN/' bewirkt "im allgemeinen" Umlaut; als Ausnahmen finden sich z.B. /ALTCHEN, GOLDCHEN/; bei beiden könnten semantische Gründe zum seltenen Deadjektiv-Fall hinzutreten: es handelt sich wie bei allen Deadjektiven um Personifizierungen (Kosenamen) und nicht um im Sachbereich verbleibende Diminutivformen.

5.32 /...-UNG/

5.321 Wortart

Die meisten Ableitungen nach diesem Typ enthalten Verbalkerne (36,7% der Haplographen und sonst bei den Homographen).

142) MARCHAND (1967), vgl. auch 5.3 und Anm. 139.

Die Deadjektiva sind mit 3,5% schon aus statistischen Gründen irrelevant. Im Einzelnen scheinen die Kriterien für die Akzeptabilität und damit Ausnahme in das Wörterbuch MACKENSENs nicht recht einsichtig; nach meiner Interpretation handelt es sich bei den belegten Deadjektiva um "verkürzte" Deverbativa zu handeln, wie in der folgenden Aufstellung gezeigt wird (meine Zusätze unterstrichen):[143]
ALTUNG - VERALTUNG, DICKUNG - EINDICKUNG, DUENNUNG - VERDUENNUNG, HALBUNG - HALBIERUNG, RAUHUNG - AUFRAUHUNG, SCHALUNG - VERSCHALUNG, STEILUNG - ? , WIRRUNG - VERWIRRUNG (allerdings belegtes "Irrungen, Wirrungen", FONTANE).

Bemerkenswerter und von statistischen Standpunkt gewichtiger sind die 1o,9% (Anzahl 34) Desubstantiva. Abgesehen von einigen geprägten Wörtern wie /BRANDUNG, STALLUNG, WALDUNG, ZEITUNG/ scheint es sich für das heutige Sprachgefühl ebenfalls, wie bei den Deadjektiva, eher um verkürzte Deverbativa zu handeln, wie z.B. (Hinzufügungen unterstrichen) AESTUNG - VERAESTELUNG, HOLZUNG - ABHOLZUNG, MARKUNG - MARKIERUNG bzw. geprägtes GEMARKUNG, MUTUNG - VERMUTUNG oder ZUMUTUNG, TONUNG - VERTONUNG.

Hinzu kommen Klassifizierungsmängel wie etwa /SCHOEPFUNG/ (s.o. 5.21) und Fehler (s.u. 7.2).

Zusammenfassend ist festzustellen, daß die Desubstantiva, wie auch die Deadjektiva, als Sonderfälle zu betrachten sind. Produktiv, und zwar in reichlichem Maße (zweithöchste Belegung der Ableitungstypen), ist die deverbative Substantivierung.

5.322 Umlaut

Das Affix '/UNG/' bewirkt keinen Umlaut. Wenn ein umgelauteter Allokern vorliegt, dann handelt es sich um eine Form, die oben als "verkürzt" gekennzeichnet wurde (z.B. /VERAESTELUNG/).

---

143) Ein Vergleich mit dem Großen Deutschen Wörterbuch" (WAHRIG (1967)) ergab: dort nicht belegt sind /ALTUNG, DICKUNG, STELLUNG/; als Jägersprache klassifiziert /DUENNUNG/ für "Flanke beim Schalenwild"; altertümlich ist /HARTUNG/ für "Januar".

5.33 /BE-...-EN/ und /BE-...-IG-EN/

5.331 Wortart

Vom linguistischen Standpunkt wird hier zu diesen Ableitungstypen nichts gesagt, weil WEISGERBER eine umfangreiche Zusammenstellung des heutigen Bestandes der "Be-Verben" mit einer Einteilung nach Wortnischen vorgelegt hat.[144] Der WEISGERBERsche Befund, daß Deverbativa, Desubstantiva und Deadjektiva vorkommen, wird durch die Computerbelege gestützt. Umgekehrt formuliert: die Brauchbarkeit der hier vorgeschlagenen Prozedur zum Sammeln von Belegen wird durch den Vergleich mit WEISGERBERs Material nachgewiesen. Von den 73o von WEISGERBER dem MACKENSENschen Wörterbuch entnommenen Belegen, die durch kritisches Hinzuziehen von GRIMMs Wörterbuch (historische Perspektive) ergänzt wurden, sind vom Computer 347 "künstlich" erzeugt worden, wie ein Vergleich der Materiallisten ergab. Hinzu kommen die 2o Belege des Typs /BE-...-IG-EN/. Da WEISGERBER auch mehrgliedrige Ableitungen aufführt, z.B. /BEAUFSICHTIGEN/, kann die Zahl von 367 Ableitungen aus einfachen Kernen als erschöpfend betrachtet werden, zumal Sondersprachen etc. nicht berücksichtigt wurden, und zumal die Anzahl der belegten sich durch Hinzuziehen weiterer Wörterbücher gegenüber den ebenfalls erzeugten nicht belegten Wörtern erhöhen würde.

Aus der Wortartauswertung ergibt sich allerdings ein Widerspruch zu WEISGERBER, der annimmt: "am stärksten dürfte heute (...) die ornative Nische sein", die die Desubstantiva enthält. Aus Tabelle 4 Abschn. 5.22 geht hervor, daß bei den Haplographen 4o,3% Deverbativa und nur 13% Desubstantiva auftreten. Allerdings ist bei WEISGERBERs Desubstantiva der Anteil der mehrgliedrigen höher; zudem sind bei ihm mehr Homographen, die insgesamt 44,7% in der Auswertung der Computerableitungen ausmachen, den Desubstantiva zugeordnet.

144) WEISGERBER (1958 a, Anlage I, S.99-1o8)

5.332 Umlaut

Weder im Typ /BE-...-EN/ noch im Typ /BE-...-IG-EN/ tritt Umlaut auf. Umgelautete Kerne sind Grundformen.[145)]

5.34 /...-BAR/

5.341 Wortart

Eindeutig dominieren die Deverbativa mit 41,9%. Nicht geläufig ist mir das einzige belegte Deadjektivum /KUNDBAR/, das auch bei WAHRIG (1967) nicht belegt ist. Die Desubstantiva (Anzahl 8 = 9,4%) sind z.T. geprägte Wörter: DIENSTBAR, FRUCHTBAR, JAGDBAR, NENNBAR, URBAR, ZOLLBAR (Amtsprache). Hingegen scheint mir /FRACHTBAR/ verkürztes Deverbativum /VERFRACHTBAR/.[146)]

/SCHAETZBAR/ ist mangelhaft klassifiziert (vgl. 7.2). Damit sind die Deverbativa als einzige echte produktive Ableitungen erwiesen, wenn auch '/LICH/' z.B. weitaus produktiver ist (s.u. 5.37).

5.342 Umlaut

'/BAR/' bewirkt keinen Umlaut. Die belegte umgelautete Alloform /SCHAETZBAR/ ist mangelhaft klassifiziert; sie enthält den Verbalkern aus /SCHAETZEN/.

5.35 /...-LICH/

5.351 Wortart

Nach Tabelle 4 (Abschn. 5.22) scheinen Desubstantiva (2o,8%) und Deadjektiva (7,9%) verhältnismäßig gleichermaßen mögliche Ableitungen, wenn die Anzahl aller entsprechenden Kerne berücksichtigt wird. Unter den Deverbativa sind allerdings eine recht

---

145) Die drei Substantivallokerne /BESCHAETZEN, BESCHNUEREN, BESCHUETTEN/ der Listen müssen den Fehlern und Mängeln zugerechnet werden (s.5.21 und 7.2).

146) /FRACHTBAR/ ist bei WAHRIG (1967) nicht belegt. Es könnte sich um eine Analogiebildung zu /ZOLLBAR/ handeln (s.o.).

große Anzahl von geprägten Wörtern (13 = mehr als ein Drittel): DRINGLICH, EHRLICH, GLAUBLICH, MOEGLICH, REDLICH, SCHAENDLICH, SCHLIESSLICH, SEHNLICH, TRAULICH, TUNLICH(ST), WEIDLICH, (WOHL) WEISLICH, ZIEMLICH. Von den übrigen scheinen folgende eher verkürzte Desubstantiva mit ausgefallenem '/E/' zu sein: ENDLICH, ERDLICH, PFLANZLICH, STIMMLICH. Damit wird die Gewichtung der Tabelle zugunsten der Desubstantiva verschoben, die wohl die produktivste Klasse sind.

5.352 Umlaut

HENZEN schreibt (1965, §133), daß '/LICH/' "ohne Regel" und "ganz willkürlich" Umlaut bewirkt. Das wird durch das Belegmaterial unterstützt bzw. zu "selten" modifiziert. Nur /AENGSTLICH/ und /NAECHTLICH/ sind bei den Haplographen belegt; dazu kommt /AEHNLICH/, das aber wohl eher auf /AEHNELN/ als auf umgelautetes /AHNEN/ zurückgeht.

5.36 /UN-...-LICH/

Zunächst fällt auf, daß Deadjektiva nicht belegt sind. Die semantische Modifizierung (vgl.o. MARCHANDs "semantic type", 5.3) von Adjektiven beim Typ /...-LICH/ kann also nicht durch '/UN/' negiert werden. Im Vergleich zum Typ /...-LICH/ erhalten außerdem die Deverbativa ein größeres Gewicht (51,7%), das zwar durch verkürzte Desubstantiva - /UNEHRLICH, UNENDLICH/ - und geprägte Wörter - /UNMOEGLICH, UNREDLICH, UNZIEMLICH/ - gemindert wird, aber solch geprägte Wörter finden sich auch unter den Desubstantiva: /UNFREUNDLICH, UNHEIMLICH/.

Insgesamt bleibt die Dominanz der Deverbativa hervorstechendstes Merkmal; sehr produktiv ist der Ableitungstyp allerdings nicht (nur 29 Belege).

Zum Umlaut vergleiche man die Bildungen auf '/LICH/' (oben 5.352).

5.37 Vergleich der Kerne bei den Adjektivierungen

Ein Vergleich der Kerne belegter Adjektivierungen der Ableitungstypen /...-BAR/, /...-LICH/ und /UN-...-LICH/ bringt folgendes Resultat:
1 Verbalkern kommt in allen drei Typen vor: '/MERK/' in /MERKBAR, MERKLICH, UNMERKLICH/.
6 Kerne kommen mit '/BAR/' und '/LICH/' vor: '/DIENST, FASS, GREIF, SCHLIESS, SICHT, TREFF/'.
Alle 29 Kerne des Typs /UN-...-LICH/ kommen auch im Typ /...-LICH/ vor; es handelt sich also wohl um sukzessive Ableitungen.

Damit sind die Belege zusammengestellt und nach den grammatischen Merkmalen der Kerne diskutiert. Für eine Untersuchung des "semantic content" (MARCHAND, s.o. 5.3) müßten wohl außerdem die Ableitungstypen /...-HAFT/ und /...SAM/ u.a. berücksichtigt werden.

6. Kritische Stellungnahme zur Untersuchung

6.1 Grundsätzliche Beurteilung des Versuchs, die deutsche Morphologie mit maschineller Hilfe zu untersuchen 147)

In der allgemeinen Vorbemerkung (Abschn. 1) wurde behauptet, im Rahmen der Untersuchung würde "Linguistik mit dem Computer" und nicht "für den Computer" getrieben. Abschnitt 1.2 beginnt jedoch mit einer Forderung der Datenverarbeitung an die Linguistik: die zu behandelnden Probleme seien explizit darzustellen, d.h. nicht nur einem Leser intuitiv verständlich zu machen, sondern auch in definierten Begriffen und formalen Zeichen festzulegen. Nun erhebt sich die Frage, ob der Aufwand an Begriffsbildung und Programmierarbeit sich gelohnt hat, und ob die Ergebnisse so vielversprechend sind, daß die Untersuchung exemplarisch für weitere Arbeiten sein könnte. Die Frage ist unter mehreren Gesichtspunkten zu beantworten.

Vom rein wissenschaftlichen Standpunkt aus ist es sicher ein Gewinn, wenn die Sprachkörper- Bedeutungs-Relation sprachlicher Zeichen am Beispiel geschriebener Wörter genau fixiert werden mußte. Die verschiedenen Aspekte, unter denen die Zuordnungen von Bedeutungen zu Sprachkörpern erklärt wurden - terminologisch fixiert in den Begriffen Graphem, Graphemfolge, Morphem, Allomorph, morphologische Wortstruktur, Haplograph und Homograph - sowie die Unterteilung des Bedeutungsbegriffes - terminologisch fixiert als semantische und grammatische Bedeutung, letztere mit Wortart und Phrasendetermination - mußten sich allerdings in der empirischen Untersuchung bewähren (zweiter Gesichtspunkt der Bewertung).

Der erste Teil der empirischen Untersuchung, das Zusammenstellen und Klassifizieren der Kernmorpheme, darf wohl als wichtige Vorarbeit für eine umfassende Untersuchung der Morphologie des Deutschen angesehen werden. In den Morphemen als kleinsten sprachlichen Vollzeichen ist das Eigentümliche der Sprachzeichen iso-

---

147) Daß linguistische Forschungen mit maschinellen Mitteln sich überhaupt als fruchtbar erweisen werden, zeigen u.a. KRALLMANN (1968 a und b) und OETTINGER (1963,1965) in ihren Überblicken mit ausführlichen Literaturhinweisen.

liert und damit operationell zu fassen: die im Sprachkörper realisierte und durch nichts ersetzbare Verkörperung von Bedeutungen, welcher psychische oder soziale Status den Bedeutungen auch immer zugesprochen wird. Ohne Computer hätte das im Wörterbuch fixierte Sprachmaterial schwerlich in diesem Ausmaß analysiert werden können. Und ohne die theoretischen Überlegungen über die Unterschiede und die Relationen zwischen sprachlichen und linguistischen Einheiten wäre eine Computerbenutzung kaum fruchtbar geworden, wie die auf linguistischen ad-hoc Hypothesen fußenden Arbeiten von, z.B., HENKE und VEILLON zeigen.[148)]

Daß der Computer aber auch weiterhin für Morphologieforschungen von Wert sein kann, gerade weil er schon für die Vorarbeiten eingesetzt wurde und das analysierte Sprachmaterial den Status von maschinenlesbaren Daten hat, wird im zweiten Wortableitungsteil der empirischen Untersuchung gezeigt. Es dürfte kaum ein anderes Verfahren geben, mit dem Belege für Ableitungstypen in dieser Anzahl und so ökonomisch gesammelt werden können[149)], Belege, die zudem schon mehrfach klassifiziert sind, sodaß sie entsprechend sortiert und analysiert werden können. Hinzu kommt die große Anzahl der nicht gebuchten Ableitungen, aus deren Auswertung gewiß Aufschluß über die Produktivität von Ableitungstypen zu erwarten ist.

Gerade im zweiten Teil der Untersuchung handelt es sich gewiß nicht um "Linguistik für den Computer"; eher wäre die Formulierung "Linguistik mit dem Computer" zu ändern in "Linguistik durch den Computer".

---

148) Vgl. Abschn. 4.16.
149) Benutzerorientierte Programme liegen vor und sind leicht auch von Nicht-Programmierern zu handhaben.

6.2 Verbesserungsvorschläge

Auch wenn der vorgelegte Ansatz computerunterstützter Forschung grundsätzlich positiv beurteilt wurde, so bleiben im Einzelnen einige Verbesserungs- und Erweiterungsvorschläge. Sie werden im Folgenden unter den Stichworten "Erweiterung der Materialbasis", "Vervollständigung der linguistischen Analyse" und "Ergänzung des Untersuchungsverfahrens" behandelt.

6.21 Erweiterung der Materialbasis

Das Sprachmaterial für morphologische Untersuchungen wäre in mehrfacher Hinsicht zu ergänzen.

6.211 Kernmorpheme

a) Weitere Kerne sollten in die Kernliste aufgenommen werden. Dazu müßten alle verfügbaren Wörterbücher ausgewertet werden. Außerdem sollten die von mir als "unverständlich" ausgeschiedenen Kerne - eventuell als Sonderklasse - hinzugefügt werden (vgl. 3.22 und 3.24).
b) Die anderen Wortarten sollten berücksichtigt werden.
c) Die "nicht wortfähigen Kerne" sollten zusammengestellt werden. Ihr linguistischer Status wäre theoretisch zu sichern; ihre Wortartzugehörigkeit, z.B., ist problematisch. Ist '/GESS/' aus /VERGESSEN/ Verbalkern? Wenn ja, wie ist es mit '/SCHMITZ/' aus /VERSCHMITZT/ oder mit '/RIES/' aus /RIESE/ und /RIESIG/, wozu noch als weiterer Homograph mit anderer semantischer Bedeutung /RIESELN/ kommt (vgl. 2.412).
d) Fremd- Fach-, Sondersprachen usw. sollten berücksichtigt werden.

6.212 Ableitungstypen

Möglichst alle Ableitungstypen sollten untersucht werden. Dabei sind sowohl alle Affixe als auch mehrgliedrige Ableitungstypen einzubeziehen. Eine umfangreiche Untersuchung würde Aufschluß nicht nur über die Produktivität von Ableitungstypen sondern auch von Kernmorphemen geben und könnte als Basis für eine semantische Untersuchung etwa der Bedeutungsschärfe und des Bedeutungsumfanges von Kernmorphemen sein.[150)]

6.213 Vergleichsmaterial

So wie bei den Kernmorphemen müßte das Vergleichsmaterial durch mehrere Wörterbücher und durch Einbeziehen auch nicht hochsprachiger Wörter, Fremdwörter usw. ergänzt werden.

6.22 Vervollständigung der linguistischen Analyse

6.221 Semantik

Zu den Unterkategorien der grammatischen Bedeutung müßten Unterkategorien der semantischen Bedeutung treten. Es bietet sich z.B. eine Untersuchung der Kerne nach Wortfamilien an. Hierdurch würde ein sprachwissenschaftlich gesicherter semantischer und zugleich in gewissem Sinne diachronischer Gesichtspunkt hinzugefügt. Ebenso könnten die Kerne nach Wortfeldern klassifiziert werden. Dabei braucht zunächst nur die Synonymität festgestellt werden, ohne daß über die Konstatierung einer semantischen Bedeutungsähnlichkeit hinaus Aussagen über die Art der Bedeutungen gemacht werden müßten (vgl. 2.31).

6.222 Umlaut

Umlautfragen und andere "lautlich" bedingte Sprachkörperprobleme könnten durch entsprechende Kennzeichnungen der Kerne geklärt werden, wie das bei der Diskussion der Ableitungsresultate angedeutet wurde (Abschn. 5.32 ff). Eine solche Analyse dürfte allerdings nicht, wie oben, auf der Basis der Alloformklassifizierung aufbauen; denn der Allostatus einer linguistischen Einheit ist im morphologischen System begründet. Eine Umlautuntersuchung hätte zunächst vom graphematischen Befund auszugehen und könnte dann die Beziehungen zwischen Allostatus, Ableitungsstatus

---

150) Über präzise und vage Bedeutung vgl. auch WEINRICH (1966, bes. 15-33).

und Umlaut (graphematischer Form) behandeln.

6.23 Ergänzung des Untersuchungsverfahrens

Bei der Ergänzung des Untersuchungsverfahrens ist die Auswertung der künstlich erzeugten Wörter zu diskutieren.

6.231 Informantenbefragung

Wie in Abschnitt 5.21 erwähnt, wäre der Untersuchung eines "offenen Systems" als Bewertungsverfahren eine Informantenbefragung angemessen, die auf das Sprachgefühl von natürlichen Sprechern rekurriert. Dabei würden allerdings neue Probleme auftreten: Auswahl des Materials, Auswahl der Informanten, Psychologie der Testsituation usw.

6.232 Synchronische Texte

Heute publizierte Texte könnten als Vergleichsmaterial benutzt werden, soweit sie in maschinenlesbarer Form vorliegen. Die dabei auftretenden technischen Schwierigkeiten sind möglicherweise in einigen Jahren nicht mehr unüberwindlich.[151)]

In jedem Fall muß die theoretische Reflexion neben der praktischen Erprobung solcher Verfahren stehen. Ansatzpunkte bieten sich in der Auseinandersetzung zwischen dem textkorpusorientierten amerikanischen Strukturalismus und der Schule CHOMSKYs mit dem eher psychologisch verstandenen wenn auch idealisierten Competence-Begriff.[152)]

---

151) Eine Ausnutzung des durch Linotype-Druckverfahren maschinenlesbaren Sprachmaterials liegt im Bereich des Möglichen (Zeitungen und Bücher).

Außerdem werden an verschiedenen Universitäten, Instituten und in anderen Forschungsgruppen Texte auf Lochkarten bzw. -streifen abgeschrieben, vgl. die Überblicke von KRALLMANN (1968 a,b), OETTINGER (1963,1965) und ZINT (1967).

152) Vgl. CHOMSKY (1957), (1964), (1965).

7. Erläuterung des Anhangs: Lexikalische Daten zur deutschen Morphologie

7.1 Die Listen

Im Anhang sind verschiedene Listen mit Sprachmaterial als Computeroutput abgedruckt.[153] An dieser Stelle wird für die einzelnen Listen auf diejenigen Abschnitte im Text verwiesen, in denen die einzelnen Listen besprochen sind. Zur Listennummer ist der Titel und die Anzahl der Listenelemente hinzugefügt. Beides erscheint als Überschrift auf jeder Seite in der Anlage. Die Listen sind, abgesehen von der allgemeinen Paginierung, jeweils einzelnen beginnend mit "1" paginiert. Insgesamt enthält der Anhang 7o Seiten Output.[154]

Liste	Titel	Anzahl	Abschnitt
1	Grundliste	2759	3.31,5.14
2	Allomorphklassen mit Belegung	21o	3.33
3	/...-CHEN/	87	5.13,5.31
4	/...-UNG/	313	" ,5.32
5	/BE-...-EN/	347	" ,5.33
6	/BE-...-IG-EN/	2o	" , "
7	/...-BAR/	86	" ,5.34
8	/...-LICH/	139	" ,5.35
9	/UN-...-LICH/	29	" ,5.36

7.2 Fehlerkommentar

Bei der Klassifizierung von Kernen mit Merkmalen sind durch Tippfehler falsche Zuordnungen entstanden. Einige wurden im Laufe der Arbeit entdeckt. Es handelt sich dabei ausschließlich um Fehler beim Ergänzungsmaterial. Durch die vielfältigen Arbeitsgänge

---

153) Der Umbruch der einzelnen Seiten ist bis auf die allgemeine Paginierung programmiert.

154) In derjenigen Fassung der Dissertation, die der Philosophischen Fakultät der Universität Bonn vorgelegt wurde, enthielt der Anhang 568 Seiten Output. Für den Druck wurde das Material auf 74 Seiten reduziert. Fortgefallen sind verschiedene Sortierungen der Kernliste (s.o.3.3) und die Listen mit den einzelnen jeweils "nicht belegten" Wörtern (s.o. 5.13). Die Information ist in der Grundliste enthalten.

scheint das Grundmaterial aus dem W.A.W., soweit es übernommen wurde, fehlerfrei zu sein, wenn auch mit einigen in Abschnitt 5.21 besprochenen Mängeln behaftet.

Zu den folgenden Kernen sind die grammatischen Merkmale zu korrigieren (hier mit richtiger Klassifizierung ohne Wortableitungsmerkmale):

BLAEU	--HQK--QE
GANG	A--NI----
HAEUT	--K--PB--
KRAENZ	--H--PA--
RAEUM	--H--PA--
SCHAETZ	--H--PA--
SCHNUER	--K--PB--
SCHRAENK	--H--PA--

Die Fehler sind in den Tabellen 3 und 4 berücksichtigt, nicht jedoch in den Listen des Outputs.[155)]

155) Die acht gefundenen Fehler sind etwas weniger als o,3% der Kernmorphemzahl. Das ist zu wenig, als daß nicht noch weitere Fehler anzunehmen sind.

8. Literaturverzeichnis

BACH, Emmon : An Introduction to Transformational Grammars; New York (1964).

BAR-HILLEL, Yehoshua, et.al.: "On Categorial and Phrase Structure Grammars" in Bulletin of the Research Council of Israel, Vol. 9F (196o), 1-16.

BIERWISCH, Manfred : "Über den theoretischen Status des Morphems" in Studia Grammatica I, 2.durchges. Aufl. Berlin (1965), 51-89.

BLOOMFIELD, Leonhard : Language, London (1934), repr. (1965).

BRINKMANN, Henning : "Die Wortarten im Deutschen - Zur Lehre von den einfachen Formen der Sprache" in Wirkendes Wort I (195o/51), 65-79, abgedruckt in MOSER (1962), 1o1-127.

-, : Die deutsche Sprache - Gestalt und Leistung, Düsseldorf (1962).

BÜHLER, Karl : Sprachtheorie - Die Darstellungsfunktion der Sprache, 1. Aufl. (1934), 2. unveränd. Aufl. Stuttgart (1965).

BÜNTING, Karl D.: "Zur Erzeugung deutscher Wörter mit einem Computer" in Forschungsbericht 66/5 des IPK der Universität Bonn (1966 a), 34 Seiten.

-, : "Zur Flexion deutscher Wörter mit einem Computer" in Forschungsbericht 66/5 des IPK der Universität Bonn (1966 b), 19 Seiten.

CHOMSKY, Noam : Syntactic Structures, The Hague (1957), Reihe: Janua Linguarum IV.

-, : "Some Methodological Remarks on Generative Grammar" in Word, Vol 17 (1961), 219-239.

-, : "On the Notion 'Rule of Grammar'" in FODOR, J. und KATZ, J. (eds.): The Structure of Language - Readings in the Philosophy of Language, Englewood Cliffs (1964), 119-136; repr. from Proceedings of the Twelfth Symposium in Applied Mathematics XII (1961), 6-24, edited by JAKOBSON, R..

-, : Aspects of the Theory of Syntax, Cambridge, Mass. (1965).

CURRY, H.B. : "Some logical aspects of grammatical structure" in JAKOBSON,R. (ed.): Structure of Language and its Mathematical Aspects, Proceedings of the Twelfth Symposium in Applied Mathematics XII, Providence (1961), 56-68.

DOLBY, J.L. und RESNIKOFF, H.L.: "On the structure of written English Words" in Language 4o(1964), 167-197.

-, : "The Nature of Affixing in Written English" in Mechanical Translation, Vol. 9, Nr. 1 u. 2 (1966).

DUDEN, Hrsg. GREBE, Paul, Band 4 "Grammatik", Mannheim (1959) Neuauflage(1966).

EARL, W. : "Structural Definition of Affixes from Multisyllable Words" in Mechanical Translation, Vol. 9, Nr. 2, (1966), 34-37.

-, : "Part-of-Speech Implications of Affixes" in Mechanical Translation, Vol. 9, Nr. 2 (1966), 38-43.

EGGERS, Hans : "Philologische Erfahrungen mit datenverarbeitenden Maschinen" in MOSER (1967), 379-391.

ERBEN, Johannes : "Deutsche Wortbildung in synchronischer und diachronischer Sicht" in Wirkendes Wort, 14. Jg. (1964), 83-93.

-, : Abriß der deutschen Grammatik, 8. Aufl. Berlin (1965).

FLURI, R. : Struktur- und Bedeutungsgeschichte des Adjektivsuffixes -bar , Winterthur (1964).

FODOR, J. und KATZ, J. (eds.): The Structure of Language - Readings in the Philosophy of Language, Englewood Cliffs (1964).

-, : "The Structure of a Semantic Theory" in Language 39, (1963), 17o-21o.

FODOR, Istvan : The Rate of Linguistic Change - Limits of the Application of Mathematical Methods in Linguistics; Janua Linguarum Series Minor XLIII, The Hague (1965).

GARVIN, Paul L.: Natural Language and the Computer, New York (1963).

-, : "Inductive Methods in Language Analysis", Final Technical Report, The Bunker Remo Corporation, Canooga Park, Calif. 91 3o4, (1966), zit. GARVIN (1966 b).

- und SPLOSKY, B. : Computation in Linguistics - A Case Book, Bloomington u. London (1966), zit. GARVIN (1966 a).

GRIMM, Jacob : Deutsche Grammatik, 2.Theil, Göttingen (1826).

GLINZ, Hans : Die innere Form des Deutschen - Eine neue deutsche Grammatik, 1. Aufl.(1952), 4. Aufl. (1964).

-, : "Über Wortinhalte" in IRAL 1, Heidelberg (1965).

HAMMERSTRÖM, G.: Linguistische Einheiten im Rahmen der modernen Sprachwissenschaft", Heidelberg u. Berlin (1966), Reihe Kommunikation und Kybernetik in Einzeldarstellungen.

HARRIS, Zellig S.: Methods in Structural Linguistics, Chicago (1951).

HARTMANN, Peter :"Linguistik und maschinelle Datenverarbeitung" in Syntax und Datenverarbeitung II, Kolloquium Oberwolfach 28.,29.Juni 1965, DFG Forschungsberichte 8, Hrsg.: DETERING, K. und PILCH, A., Wiesbaden (1966), 13-38.

HAYS, D.G.(ed.): Readings in Automatic Language Processing, New York (1966).

HEMPEL, Heinrich : "Wortklassen und Bedeutungsweisen" in Festschrift für E. Öhmann: Suomalaisen Tiedeakatemian Toimituksia = Annales Scientiarum Fennicae, Sarja-Ser.B, Nide-Tom. 84.25.(1954) 531-568, nachgedruckt in MOSER (1962),217-254.

HENKE, Heinrich : "Untersuchungen über das maschinelle Erkennen flektierter Wortformen im Deutschen", Arbeitsblätter des Lehrstuhls für elektronische Rechenanlagen der TH Hannover, Prof. Dr. W. Händler, Nr. 13 Oktober (1965).

HENZEN, Walter : "Der heutige Stand der Verben mit ver-" in Festgabe für Theodor Frings (1965), 173-189.

-, : "Inhaltbezogene Wortbildung" in Archiv f.d.Studium der neueren Sprachen (ASNS) 194 (1957), 1-23.

-, : Deutsche Wortbildung, 3. erg. Aufl. Tübingen (1965).

HERDAN, G. : Type Token Mathematics, s'Gravenhage (1960).

-, : Advanced Theory of Language as Choice and Chance, Berlin (1966).

HJELMSLEV, Louis : Omskring Sprogteoriens Grundlaeggelse, Kopenhagen (1943).

-, : "Structural Analysis of Language" in Studia Linguistica 1, Lund u. Kopenhage (1947), 69-78.

–, : Prolegomena to a Theory of Language, revised English ed., Madison, Wisconsin (1963).

HOCKETT, Charles F.: Course in Modern Linguistics, New York (1958).

–, : "Linguistic Elements and their Relations" in Language 37, (1961), 29-53.

JAKOBSON, Roman (ed.): Structure of Language and its Mathematical Aspects, Proceedings of the Twelfth Symposium in Applied Mathematics XII, Providence (1961).

JESPERSEN, Otto : Growth and Structure of the English Language, 1. Aufl. 19o5, 9. Aufl. 1938, repr. als Doubleday Anchor Book, Garden City, N.J. (o.J.).

KAINZ, Friedrich: Psychologie der Sprache, 4. Bd. III. Hauptstück "Das Sprachgefühl", 296-393, Stuttgart (1956).

KAMLAH, Wilhelm und LORENZEN, Paul : Logische Propädeutik - Vorschule des vernünftigen Redens; Reihe B.I. Hochschultaschenbücher, Mannheim (1967), Nr. 227/227a.

KATZ, J. und FODOR, J. ; s.o. FODOR.

KLUGE, Friedrich : Abriß der deutschen Wortbildungslehre, Halle (1925).

KLUGE, Friedr. und MITZKA, Walther (Bearbeiter) : Etymologisches Wörterbuch der deutschen Sprache, 2o. Aufl. Berlin (1967).

KRAHE, Hans : Germanische Sprachwissenschaft II - Formenlehre, Sammlung Göschen Band 78o, Berlin (1961).

KRALLMANN, Dieter : Statistische Methoden in der stilistischen Textanalyse - Ein Beitrag zur Informationserschließung mithilfe elektronischer Rechenmaschinen, Dissertation Bonn (1966), zit. (1966 a).

–, : "Automatische Sprachübersetzung" in Umschau (1968) Heft 4, 1o2-1o5, zit. (1968 a)

–, : "Maschinelle Analyse natürlicher Sprachen", im Druck, zit. (1968 b).

LAMB, Sydney M. : "The digital computer as an aid in linguistics" in Language 37, (1961), 382-412.

MACKENSEN, Lutz : Deutsches Wörterbuch, 3. Aufl. Baden-Baden (1955), 4. verb. u. erw. Aufl. (1962).

MARCHAND, Hans : The Categories and Types of Present Day English Word-Formation - A Synchronic-Diachronic Approach, Wiesbaden (196o).

-, : "Die Ableitung desubstantivischer Verben mit Nullmorphem im Englischen, Französischen und Deutschen" in Neue Sprachen 1o (NS), (1964), 1o5-118.

-, : "Review of ZIMMER: Affixal negation in English and other languages" in Language 42 (1966), 134-142.

-, : "Expansion, Transposition, and Derivation" in La Linguistique 1 (1967), 13-26.

MARTINET, André: Grundzüge der Allgemeinen Sprachwissenschaft, Stuttgart (1963); Urban Bücher 61.

MATER, Erich : Rückläufiges Wörterbuch der deutschen Gegenwartssprache, Leipzig (1965).

MEIER, G.F. (Hrsg.): Erfurter Symposium 1959 : Zeichen und System der Sprache I u. II, Berlin (196o); Reihe Schriften zur Phonetik, Sprachwissenschaft und Kommunikationsforschung 3 u. 4.

MONROE, G.K. : Phonemic Transcription of Graphic Post-Base Affixes in English: A Computer Problem, Dissertation Brown University (1965), University Microfilm Inc., Ann Arbor Mich. .

MORRIS, Charles W. : Foundations of the Theory of Signs , Chicago (1938), Neudruck (1964), Reihe International Encyclopedia of Unified Science, Vol.1, Nr. 2.

MOSER, Hugo : "Umgangssprache - Überlegungen zu ihren Formen und ihrer Stellung im Sprachganzen" in Zeitschr. f. Mundartforschung (ZfMAF) 27 (196o) 215-232.

-, : (Hrsg.) : Das Ringen um eine neue deutsche Grammatik - Aufsätze aus drei Jahrzehnten, Wissensch. Buchges. Darmstadt (1962).

-, : "Wohin steuert das heutige Deutsch? - Triebkräfte im heutigen Sprachgeschehen" in MOSER (1967) 15-35.

-, : Satz und Wort im heutigen Deutsch - Probleme und Ergebnisse neuerer Forschung; Reihe Sprache der Gegenwart; Schriften des Instituts f. dt. Spr. in Mannheim, Jahrbuch 1965/6, Düsseldorf (1967).

MUNSKE, H.H. : Das Suffix +-inga/-unga in den germanischen Sprachen - Seine Erscheinungsweise, Funktion und Entwicklung, dargestellt an den appellativen Ableitungen", Marburger Beiträge zur Germanistik 6 (1964).

NIDA, Eugene A. : Morphology : The Descriptive Analysis of Words, 2nd ed. Ann Arbor (1949).

NOREEN (übers.v. POLLACK) : Einführung in die wissenschaftliche Betrachtung der Sprache, (1923).

OETTINGER, A.G.: "The state of the art of automatic language translation" in Beiträge zur Sprachkunde und Informationsverarbeitung 2 (1963), 11-32.

: "Automatic processing of natural and formal languages" in Proceedings IFIP Congr. 1965, Washington (1965), 9-16.

OTTO, E. : "Die Wortarten" in Germanisch Romanische Monatsschrift (GRM) 16,(1928), 417-24.

PAUL, Hermann: Deutsche Grammatik, Bd. 5, "Wortbildungslehre", Halle (192o).

PIKE, Kenneth L. : "Grammatical Prerequisites to Phonemic Analysis" in Word 3, (1947), 155-172.

-, : "More on Grammatical Prerequisites" in Word 8,(1952), 1o6-121.

PULGRAM, E.: "Phoneme and Grapheme: a Parallel" in Word 7, (1951), 15-2o.

SANDMANN, Manfred: "Substantiv, Adjektiv-Adverb und Verb als sprachliche Formen - Bemerkungen zur Theorie der Wortarten" in Indogermanische Forschungen (IF)57, (194o), 81-112, nachgedr. in MOSER (1962), 186-215.

SAPIR, E: Language - An Introduction to the Study of Speech. 1. Aufl. (1921), repr. New York (1949).

SAUSSURE, Ferdinand de : Cours de linguistique generale, Nachdruck Paris (1949).
Deutsch: übers. v. LOMMEL, Berlin u. Leipzig (1931), Nachdruck Berlin (1967).

SCHNELLE, Helmut : "Zur Formalisierung der Wortableitung des Deutschen" in Forschungsbericht 66/5 des IPK der Universität Bonn (1966).

-, und KRANZHOFF, J.A. : "Zur Beschreibung und Bearbeitung der Struktur deutscher Wörter" in Beiträge zur Sprachkunde und Informationsverarbeitung, 1. Teil Heft 5 (1965), 80-89, 2. Teil Heft 6 (1965), 65-87.

SKALA, E. : "Entwicklung der deutschen grammatischen Terminologie" in Zeitschrift für Phonetik, Sprachwissenschaft und Kommunikationsforschung, 14. Jg. Berlin (1961), 214-230.

SLOTTY: "Wortart und Wortsinn", in Travaux du Cercle linguistique de Prague (TCLP) 1 (1929), 100ff.

-, : "Das Wesen der Wortart" in Donum Natalium Schrijen, Nijmegen-Utrecht (1929), 130ff.

SPANG-HANSSEN, H.: Recent Theories on the Nature of the Language Sign, Kopenhagen (1954).

TRUBETZKOY, N.S.: Grundzüge der Phonologie, 1. Aufl. (1937), 3. durchges. Aufl. Göttingen (1962).

UNGEHEUER, G. und KAESTNER, W. : "Zur Transformation deutscher Schrifttexte in entsprechende Phonemtexte mit Hilfe elektronischer Rechenmaschinen", Forschungsbericht 66/1 des IPK der Universität Bonn (1966).

UNGEHEUER, G. et.al. "Künstliche Intelligenz" - Stand der Forschung", Gutachterauftrag T 596-L-203, Bonn (1966), ebenfalls als Forschungsbericht 66/7 des IPK der Universität Bonn.

VATER, Heinz: Das System der Artikelformen im gegenwärtigen Deutsch, Tübingen (1963).

VEILLON, G. et.al. : "Application des Autimates Finis a la Morphologie Allemande" in Troisième Congrés de Traitment de l'Information Toulouse 1963, Paris (1965), 249-254.

WAHRIG, Gerhard: Das Große Deutsche Wörterbuch, Gütersloh (1967).

WEINRICH, Harald: Linguistik der Lüge, Heidelberg (1966).

WEISGERBER, Leo : "Sprachwissenschaftliche Methodenlehre" in Deutsche Philologie im Aufriß, 2. überarb. Aufl., 1. Lieferung Sp. 1-38, Berlin, Bielefeld, München (o.J.).

-, : Verschiebungen in der sprachlichen Einschätzung von Menschen und Sachen, Köln u. Opladen (1958), zit. (1958 a).

-, : "Der Mensch im Akkusativ" in Wirkendes Wort Jg. 8, (1958), 193-2o5; zit. (1958 b).

-, : Die Kräfte der deutschen Sprache, 2 Bde., 3. neubearb. Aufl. Düsseldorf (1962).

-, : Die vier Stufen in der Erforschung der Sprachen, Düsseldorf (1963).

-, : Die Verantwortung für die Schrift - Sechzig Jahre Bemühungen um eine Rechtschreibereform. Duden-Beiträge Nr.15, Mannheim (1964), zit. (1964a).

-, : "Vierstufige Wortbildungslehre" in Muttersprache Jg. 14 (1964). Heft 2, 33-43, zit. (1964 b).

WILMANNS, W.: Deutsche Grammatik - Gotisch, Alt-, Mittel- und Neuhochdeutsch, 2. Abtlg. "Wortbildung", Straßburg (1896).

ZEMANEK, H.: Alphabete und Codes der Datenverarbeitung, München und Wien (1967).

ZINT, I.: "Über den gegenwärtigen Stand der automatischen Sprachbearbeitung" in Beiträge zur Sprachkunde, Information und Sprachbearbeitung 12, (1967), 36-55.

Anhang: Lexikalische Daten
zur deutschen Morphologie (Computeroutput)

GRUNDLISTE 1 KERNE MIT MARKEN 1

AAL	A-K-------------
AAR	A---------------
AAS	C---------------
ABEND	A-------------Y-
ABT	A---------------
ACHT	B-K-------Y--Y--
AEBT	-----PA---------
AECHT	--HQKQB---Y-----
AECHZ	--I-------------
AEHN	---QK---------Y-
AEL	---QKQA---------
AELB	-----QA---------
AELL	-----QC---------
AELM	-----QD---------
AELP	-----QD---------
AELT	-------PE-------
AEMT	-----PC---------
AENGST	-----PB-------Y-
AERG	-----QAPE-------
AERM	-----QAPE-------
AERSCH	-----PA---------
AERT	---QKQB---------
AES	--H--PC---Y-----
AESS	---MH-----------
AEST	-----PA---Y-----
AETZ	--K-------Y--Y--
AEUG	--I-------------
AEXT	-----PB---------
AHN	--K-------Y--Y--
AHOERN	-----QA---------
AHORN	A---------------
ALB	A---------------
ALL	C---------------
ALM	D---------------
ALP	D---------------
ALT	-E-------YY-----
AMBOESS	-----QA---------
AMBOSS	A---------------
AMT	C----------Y--Y-
ANGST	B---------------
ARG	AE--------------
ARM	AE--------------
ARSCH	A---------------
ART	B-K-------Y--Y--
ASS	---LH-----------
AST	A---------------
AXT	B---------------
BACH	A---------------
BACK	--K-------------
BAD	C-K-------------
BAE	--I-------------
BAECH	-----PA---------
BAECK	---MK-----------
BAED	---QKPC---------
BAEH	--K-------Y-----
BAEHN	---QHQB---------
BAELG	---QKPD---------
BAELL	-----PA---------
BAEND	---MHPD---------
BAENG	---QK--PE-------
BAENK	-----PB---------

```
BAENN      ---QKQA----------
BAER       A-------QEY------
BAERG      ---MK------------
BAERSCH    -----QAQE--------
BAERST     ---MI------------
BAERT      -----PA----------
BAESS      -----PA----------
BAEST      -----QA----------
BAET       ---MK------------
BAEUCH     -----PA----------
BAEUMM     ---QIPA----------
BAEUSCH    ---QKPA----------
BAEUZ      ---QIQA----------
BAHN       B-H--------Y-----
BALG       D-K--------------
BALL       A----------Y-----
BAND       D--LH------------
BANG       -EK--------------
BANK       B----------Y-----
BANN       A-K--------------
BAR        BE---------------
BARG       ---LK------------
BARSCH     AE---------------
BARST      ---LI------------
BART       A----------------
BASS       A----------------
BAST       A----------------
BAT        ---LK------------
BAUCH      A----------Y-----
BAUM       A-I--------------
BAUSCH     A-K--------------
BAUZ       A-I--------------
BEB        --I--------Y-----
BEET       C----------------
BEICHT     --H--------------
BEIL       C----------------
BEIN       C----------------
BEISS      --K--------------
BELL       --I--------------
BERG       A-K--------Y-----
BERST      --I--------------
BET        --INK------------
BETT       C-K--------Y-----
BIEG       --K--------Y-----
BIER       C----------------
BIEST      D----------------
BIET       --H--------------
BILD       C-K-------YY---YY
BIND       --H--------Y-----
BIRG       ---MI------------
BIRST      ---MI------------
BISS       A--OK-----Y------
BITT       --K-------------Y-
BLAEFF     ---QI------------
BLAEH      --K--------Y-----
BLAEK      --IQI------------
BLAENK     -------QE--------
BLAES      ---MK------------
BLAESS     --I----PE------Y-
BLAETT     -----PC----------
BLAEU      --HQKQE--------Y-
```

BLAFF	--I-------------
BLAK	--I-------------
BLANK	-E--------------
BLAS	--K-------------
BLASS	-E--------------
BLATT	C---------Y-----
BLAU	-EK-------------
BLECH	C-H--------Y----
BLECK	--K-------------
BLEI	D-K--------Y----
BLEIB	--I-------------
BLEICH	-EK-------------
BLEND	--H-------Y-----
BLICK	A-K-------------
BLIEB	---OI-----------
BLIES	---LK-----------
BLIND	-E--------------
BLINK	--I-------------
BLINZ	--I-------------
BLITZ	A-I-------------
BLOCK	A-H-------Y-----
BLOECK	---QHPA--Y------
BLOEK	--I-------------
BLOESS	-------QE-------
BLOSS	-E--------------
BLUEFF	--H-------------
BLUEH	--I-------------
BLUET	---QIQC---------
BLUT	C-I-------Y-----
BOCK	A-I-------------
BOE	B---------------
BOECK	---QIPA---------
BOEG	---MK-----------
BOEHR	---QK-----------
BOELK	--I-------------
BOERD	---QHQD---------
BOERT	-----QC---------
BOET	---MHQD--Y------
BOG	---OK-----------
BOHR	--K-------Y-----
BOOT	D---------------
BORD	D-H-------------
BURG	---NK-----------
BORST	---NI-----------
BORT	C----------Y----
BOT	---OH-----------
BRACH	-E-LK-----------
BRACHT	-E-XK-----------
BRAECH	---XK--QE-------
BRAECHT	---MK-----------
BRAEM	-----QD---------
BRAEND	-----PD---------
BRAET	---MK----Y------
BRAETSCH	---QH-----------
BRAEU	---QKQH---------
BRAEUCH	---QHPA---------
BRAEUN	--K----QE-Y---Y-
BRAEUS	---QKQA---------
BRAEUT	-----PB---------
BRAEV	-------QE-------
BRAM	D---------------

BRAND	D---------Y-----
BRANNT	---OK-----------
BRAT	--K-------------
BRATSCH	--H-------------
BRAU	--K-------------
BRAUCH	A-H----------Y--
BRAUN	-E--------------
BRAUS	A-K-------------
BRAUT	B---------------
BRAV	-E--------------
BRECH	--K-------Y--Y--
BREI	A---------------
BREIT	-EH-------------
BREMS	--H-------------
BRENN	--K----------Y--
BRETT	C--------Y------
BRICH	---MK-----------
BRIEF	A-------------Y-
BRIET	---LK-----------
BRING	--H-------------
BROCH	---NK-----------
BROENN	-----QA---------
BROET	-----QC---------
BRONN	A---------------
BROT	C---------------
BRUCH	A---------------
BRUECH	-----PA---------
BRUELL	--I-------------
BRUEMM	---QI-----------
BRUENFT	-----PB---------
BRUENN	-----QA---------
BRUENST	-----PB---------
BRUEST	--J--PB--YY-----
BRUET	--K--QB----Y----
BRUMM	--I-------------
BRUNFT	B---------------
BRUNN	A---------------
BRUNST	B---------------
BRUST	B---------------
BRUT	B---------------
BUCH	C-H-------Y-----
BUCHT	B-H-------------
BUECH	---QHPC---------
BUECHS	--K-------------
BUECHT	---QHQB---------
BUECK	--J-------------
BUEG	-----PA---------
BUEHL	---QI-----------
BUEK	---MK-----------
BUEMS	---QIQA---------
BUEND	-----PD---------
BUENT	-------QE-------
BUER	-----QA---------
BUERG	--H--QB---------
BUERST	--H------Y------
BUESCH	-----PA---------
BUG	A---------------
BUHL	--I-------------
BUK	---LK-----------
BUMS	A-I-------------
BUND	D--NH-----------

BUNT	-E--------------
BUR	A---------------
BURG	B---------------
BUSCH	A----------Y----
DACH	C---------YY----
DACHS	A---------------
DACHT	---OH-----------
DAECH	-----PC---------
DAECHS	-----QA---------
DAECHT	---MH-----------
DAEM	-----QA---------
DAEMM	--K--PA---------
DAEMPF	--HQKPA---Y-----
DAENG	---MK-----------
DAENK	---QKQA---------
DAERB	---QI-----------
DAERM	-----PA---------
DAM	A---------------
DAMM	A---------------
DAMPF	A-K-------------
DANG	---LK-----------
DANK	A-K--------Y-Y--
DARB	--I-------------
DARF	---MI-----------
DARM	A---------------
DECK	C-K-------YY----
DEHN	--K-------Y--Y--
DEICH	A-K--------Y----
DENK	--H--------Y--YY
DERB	-E--------------
DEUCHT	---OK-----------
DICHT	-EK-------Y-----
DICK	-E--------Y---Y-
DIEB	A---------------
DIEN	--I--------Y--Y-
DIENST	A------------YY-
DILL	A---------------
DING	C-K-------YY--Y-
DOCHT	A---------------
DOECHT	-----QA---------
DOEF	-------QE-------
DOELCH	-----QA---------
DOEM	-----QA---------
DOERF	-----PC---------
DOERN	-----QA---------
DOERR	--H-------------
DOERSCH	-----QA---------
DOLCH	A---------------
DOM	A---------------
DOOF	-E--------------
DORF	C---------------
DORN	A----------Y----
DORSCH	A---------------
DRAEHT	---QHPA---------
DRAELL	-----QAQE-------
DRAENG	--KMIQA----Y----
DRAESCH	---MH-----------
DRAEU	--I--------Y----
DRAHT	A-H-------Y---Y-
DRALL	AE--------------
DRANG	A--LI-----------

DRASCH	---LH-----------
DREH	A-K-------Y-----
DREIST	-E--------------
DRESCH	--H-------------
DRILL	A-H-------Y-----
DRING	--I-----------Y-
DRISCH	---MH-----------
DROEH	---QI-----------
DROEHN	--I-------------
DROESCH	---MH-----------
DROH	--I-------YY----
DROSCH	---OH-----------
DRUCK	A-H--------Y----
DRUD	A---------------
DRUECK	--KQHQA----Y----
DRUED	-----QA---------
DRUNG	---NI-----------
DUCK	--K-------------
DUECK	---QK-----------
DUEFT	---QIPA---------
DUELD	---QK-----------
DUEMM	-------PE-------
DUEMPF	-------QE-------
DUEN	--J-------Y-----
DUENG	--H--QA---Y-----
DUENK	--K--------Y----
DUENN	-E--------Y---Y-
DUENST	--HQIPA---------
DUERF	---MI-----------
DUERR	-EH-------Y-----
DUERST	--IQIQA---------
DUESCH	---QK-----------
DUFT	A-I-------------
DULD	--K-------Y--Y--
DUMM	-E--------------
DUMPF	-E--------------
DUNG	A--NK-----------
DUNST	A-I-------------
DURFT	---OI-----------
DURST	A-I-------------
DUSCH	--K-------------
DUST	A---------------
DUTZEND	C---------------
EBB	--I-------------
ECHT	-E--------------
EGG	--H-------------
EHR	--H-------YY--YY
EICH	--H-------Y-----
EID	A-----------Y-Y-
EIN	--H-------Y-----
EIS	C---------------
ELCH	A---------------
ELEN	D---------------
END	--K------YY-Y-YY
ENG	-EH--------Y----
ERB	--H--------Y--Y-
ERD	--H-------Y-Y-Y-
ERNST	AE------------Y-
ERNT	--H-------------
ERZ	C---------------
ESEL	A--------Y------

ESS	--H----------Y--
FACH	C-------------Y-
FAECH	-----PC---------
FAEHL	-------QE-------
FAEHR	---MK-----------
FAEHRT	-----QR---------
FAELB	-------QE-------
FAELL	---MIPD---Y-----
FAELSCH	--H----QE-Y---Y-
FAELT	---QH-----------
FAELZ	---QHQA---------
FAEND	---MK-----------
FAENG	---MHPA---------
FAERB	--K-------Y-----
FAERN	-----QA---------
FAESS	---QKPC---------
FAEUCH	---QI-----------
FAEUL	---QI--QE-------
FAEUST	---QHPD---------
FAHL	-E--------------
FAHR	--K--------Y-Y--
FAHRT	B---------------
FALB	-E--------------
FALL	D-I--------Y----
FALSCH	-E--------------
FALT	--H-------Y-----
FALZ	A-H-------------
FAND	---LK-----------
FANG	A-H--------Y----
FARN	A---------------
FASS	C-K-------YY-YY-
FAUCH	--I-------------
FAUL	-EI-------------
FAUST	D-H-------------
FECHT	--I-------------
FEB	B---------------
FEG	--K-------------
FEHL	--K----------Y--
FEIL	-EH-------------
FEIN	-EH-------Y-----
FEIND	A----------Y--Y-
FEIST	-E--------------
FEIX	--I-------------
FELL	C-H------Y------
FELS	A---------------
FERCH	A-H-------------
FERN	-E--------------
FEST	CE--------YYY-Y-
FETT	CEH-------------
FEUCHT	-E---------Y--Y-
FICHT	---MI-----------
FICK	--K-------------
FIBL	---LI-----------
FIEP	--I-------------
FILZ	A-K-------------
FIND	--K-------YY----
FING	---LH-----------
FIRN	A-I-------------
FIRST	A----------Y----
FISCH	A-H------YY-----
FLACH	-EH-------------

FLACHS	A-K-------------
FLAECH	---QH--OE-------
FLAECHS	---QKQA---------
FLAEU	-------QE-------
FLAEUSCH	---QHQA---------
FLAEX	---QI-----------
FLANSCH	A-H-------------
FLAU	-E--------------
FLAUSCH	A---------------
FLAX	--I-------------
FLECHT	--H-------------
FLECK	A----------Y----
FLEET	C---------------
FLEH	--I-------------
FLEISS	A----------YY---
FLENN	--I-------------
FLETSCH	--H-------------
FLICHT	---MH-----------
FLICK	--H--------Y----
FLIEG	--K--------Y----
FLIEH	--K-------------
FLIESS	--I--------Y----
FLIMM	--I-------------
FLINK	-E--------------
FLIRR	--I-------------
FLITSCH	--I-------------
FLITZ	--I-------------
FLOCHT	---OH-----------
FLOECHT	---MH-----------
FLOEG	---MK-----------
FLOEH	---MKPA---------
FLOESS	--HMIPC------Y--
FLOETT	-------QE-------
FLOEZ	C---------------
FLOG	---OK-----------
FLOH	A--OK-----------
FLOSS	C--OI-----------
FLOTT	-E--------------
FLUCH	A-I-------------
FLUECH	---QIPA---------
FLUECHT	--I-------------
FLUEG	-----PA---------
FLUENSCH	-----QA---------
FLUER	-----QD---------
FLUESS	-----PA---------
FLUET	---QKQB---------
FLUETSCH	---QI-----------
FLUG	A---------------
FLUNSCH	A---------------
FLUR	D---------------
FLUSS	A---------------
FLUT	B-K--------Y----
FLUTSCH	--I-------------
FOCHT	---OI-----------
FOCK	B---------------
FOECHT	---MI-----------
FOECK	-----QB---------
FOEHL	---QI-----------
FOEHN	A-K-------------
FOELG	---QI-----------
FOEPP	---QH-----------

FOERM	---QHQB---------
FOERSCH	---QI--QE-------
FOERST	-----QA---------
FOHL	--I-------------
FOLG	--I--------Y----
FOPP	--H-------------
FORM	B-H-------------
FORSCH	-EI-------Y-----
FORST	A----------Y--Y-
FRACHT	B----------Y-Y--
FRAECHT	-----QB---------
FRAEG	---QH-----------
FRAES	--H-------------
FRAESS	---MHQA---------
FRAETZ	-----QA---------
FRAEU	-----QB---------
FRAG	--H--------Y--YY
FRASS	A--LH-----------
FRATZ	A---------------
FRAU	B-------------Y-
FRECH	-E--------------
FREI	-EH--------Y----
FREMD	-EI--------Y----
FRESS	--H-------------
FREU	--K-------------
FREUND	A----------Y--YY
FRIER	--I-------------
FRIES	A---------------
FRISCH	-E--------------
FRISS	---MH-----------
FRIST	B-H-------YY----
FROEH	-------QE-------
FROEMM	---QI--PE-------
FROEN	--IQIQD---Y-----
FROER	---MI-----------
FROESCH	-----PA--Y------
FROEST	-----PA---------
FROH	-E--------------
FROMM	-EI-------------
FRON	D-I-------------
FROR	---OI-----------
FROSCH	A---------------
FROST	A---------------
FRUCHT	B-I--------Y-Y--
FRUECHT	---QIPB---------
FRUEH	-E--------------
FUCHS	A---------------
FUECHS	-----PA---------
FUEG	--KQHQA---Y---Y-
FUEHL	--K-------YY-Y--
FUEHR	--KMK-----Y-----
FUELL	--K-------Y-----
FUEND	-----QA---------
FUENK	---QKQA---------
FUERCH	---QH-----------
FUERCHT	--K--QB---------
FUERST	A-------------Y-
FUERT	-----QB---------
FUERZ	---QIPA---------
FUESS	---QIPA---------
FUG	A-H--------Y----

FUHR	---LK-----------
FUND	A--NK-----------
FUNK	A-K-------------
FURCH	--H-------Y-----
FURCHT	B------------Y--
FURT	B---------------
FURZ	A-I-------------
FUSS	A-I-------------
GAB	---LK------Y----
GAEB	---MK-----------
GAEFF	---QI-----------
GAEHN	--I-------------
GAELT	---MK-----------
GAEMS	-----QB---------
GAENS	-----PB---------
GAENZ	-------QE-------
GAER	--KQH--QE-Y-----
GAERN	-----QC---------
GAEST	-----PA---------
GAEU	-----QD---------
GAEUCH	-----PA---------
GAFF	--I--------Y----
GALT	---LK-----------
GAMS	B---------------
GANG	---NI--------Y--
GANS	B---------------
GANZ	-E--------------
GAR	-EH-------------
GARN	C---------------
GAST	A---------Y---Y-
GAU	D---------------
GAUCH	A---------------
GEB	--K--------Y----
GECK	A---------------
GEEST	B---------------
GEH	--I--------Y-Y--
GEHL	-E-------Y------
GEIG	--I-------------
GEIL	-EK-------Y-----
GEISS	B---------------
GEIST	A--------Y----Y-
GEIZ	A-I-------------
GELB	-E------------Y-
GELL	--I-------------
GELT	--K-------Y-----
GER	A---------------
GERB	--H-------Y-----
GIB	---MK-----------
GICHT	B----------Y----
GIER	B-H-------------
GIESS	--K--------Y----
GIFT	C-J-------------
GILT	---MK-----------
GING	---LI-----------
GIRR	--I-------------
GLAENZ	--K--QA---------
GLAES	---QIPC--Y------
GLAETT	--H----QE-------
GLAEUB	---QH-----------
GLANZ	A---------------
GLAS	C-I--------Y----

GLATT	-E--------------
GLAUB	--H---------Y-YY
GLEICH	-EK-------YY----
GLEIS	C-H-------------
GLEISS	--I-------------
GLEIT	--I-------YY----
GLICH	---OK-----------
GLIED	C---------------
GLIMM	--I-------------
GLITSCH	--I-------------
GLITT	---OI-----------
GLOEMM	---MI-----------
GLOETZ	---QI-----------
GLOMM	---OI-----------
GLOTZ	--I--------Y----
GLUECK	C-I--------Y--YY
GLUEH	--I-------------
GLUET	-----QB---------
GLUT	B---------------
GNEIS	A---------------
GOELD	-----QC---------
GOENN	--H-------------
GOER	C---------------
GOESS	---MK-----------
GOETT	-----PA---------
GOLD	C--------Y------
GOLT	---NI-----------
GOR	---NK-----------
GOSS	---OK-----------
GOTT	A---------------
GRAB	C-H-------YY----
GRAEB	---MHPC---------
GRAEF	-----QA---------
GRAEM	--J--QA-------Y-
GRAES	---QHPC---------
GRAET	-----QA---------
GRAEU	---QI--QE-------
GRAEUL	---QK-----------
GRAEUS	---QKQA---------
GRAF	A---------------
GRAM	A---------------
GRAS	C-H-------YY----
GRAT	A---------------
GRAU	-EI------Y-Y----
GRAUL	--K-----------Y-
GRAUS	A-K-----------Y-
GREIF	A-H--------Y-YY-
GREIN	--I-------------
GRELL	-E--------------
GRENZ	--I--------Y----
GRIEBS	A---------------
GRIEN	--I-------------
GRIESS	A---------------
GRIFF	A--OH-----------
GRIMM	AE--------------
GRIPS	A---------------
GROB	-E--------------
GROER	-------PE-------
GROEBS	A---------------
GROELL	---QIQA---------
GROLL	A-I-------------

GRUB	---LH-----------
GRUEB	---MH-----------
GRUEFT	-----PB---------
GRUEN	-EI--------Y--Y-
GRUEND	--H--PA---Y---YY
GRUES	-----QA---------
GRUESS	--H--PA----Y----
GRUFT	B---------------
GRUND	A---------------
GRUS	A---------------
GRUSS	A---------------
GUCK	--I--------Y----
GUECK	---QI-----------
GUENST	-----QB---------
GUERR	---QI-----------
GUERT	--KQHQA---------
GUESS	-----PA---------
GUET	-----PAQEYY---Y-
GUNST	B---------------
GURR	--I-------------
GURT	A-H-------Y-----
GUSS	A---------------
GUT	CE--------------
HAAR	C----------Y----
HAB	C-I--------Y--Y-
HABICHT	A---------------
HACK	A-K--------Y----
HAEB	---QIQC---------
HAECK	---QKQA---------
HAEFF	-----QC---------
HAEFT	---QHQD---------
HAEG	-----QA---------
HAEHN	-----PA---------
HAELB	-------QE-------
HAELF	---MI-----------
HAELFT	--H-------Y-----
HAELL	---QKQA---------
HAELM	-----QA---------
HAELS	-----PA---------
HAELT	---MKQA---------
HAEND	-----PB---------
HAENF	-----QA---------
HAENG	--KQIPA----Y----
HAER	-----QC---------
HAERK	---QH-----------
HAERM	--J--QA---------
HAERN	---QIQA---------
HAERR	---QI-----------
HAERSCH	-------QE-------
HAERT	--H----PE-YY----
HAERZ	---QIQC---------
HAESCH	---QH-----------
HAESS	---QHQA---------
HAEST	---QIQB---------
HAETZ	-----QB---------
HAEU	---QKQA---------
HAEUCH	---QIPA---------
HAEUF	--H------YY-----
HAEUPT	-----PC---------
HAEUS	---QKPC---------
HAEUT	---QH----YY-----

HAEUT	--K--PB--YY-----
HAFF	C---------------
HAFT	D-H-------YY-Y--
HAG	A---------------
HAHN	A---------------
HAIN	A---------------
HALB	-E--------Y-----
HALF	---LI-----------
HALL	A-K-------------
HALM	A---------------
HALS	A---------Y-----
HALT	A-K-------YY-Y--
HAND	B-------------7-
HANF	A---------------
HANG	A-INK-----------
HARK	--H--------Y----
HARM	A---------------
HARN	A-I-------------
HARR	--I--------Y----
HARSCH	-E--------------
HART	-E--------Y-----
HARZ	C-I-------------
HASCH	--H-------------
HASS	A-H-------------
HAST	B-I-------------
HATZ	B---------------
HAU	A-K--------Y-Y--
HAUB	--H-------------
HAUCH	A-I--------Y----
HAUPT	C----------Y----
HAUS	C-K-------YY----
HAUT	B---------------
HEB	--K-------YY----
HECHT	A-I-------------
HECK	C---------------
HEER	C---------------
HEFT	C-H-------Y-----
HEG	--H-------------
HEHL	--H-------------
HEHR	-E--------------
HEIL	CEK-------Y--Y--
HEIM	C--------Y----YY
HEIRAT	B-H----------Y--
HEISCH	--H-------------
HEISS	-EK-------------
HEIZ	--K-------YY-Y--
HELD	A---------------
HELF	--I--------Y----
HELL	-E----------Y---
HELM	D----------Y----
HEMD	C--------Y------
HEMM	--H-------Y-----
HENGST	A---------------
HENK	--H-------------
HERB	-E--------------
HERBST	A-K-----------Y-
HERD	A---------------
HERING	A---------------
HERR	A-------------Y-
HERZ	C-H---------Y-Y-
HETZ	B-K-------------

HEU	C-I---------------
HIEB	A--LK-------------
HIELT	---LK-------------
HIESS	---LK-------------
HIEV	--H---------------
HILF	---MI-----------Y-
HING	---LK-------------
HINK	--I---------------
HIRN	C-----------------
HIRSCH	A-----------------
HOB	---OK-------------
HOCH	CE----------------
HOCK	--K---------------
HOEB	---MK-------------
HOECH	--------PE--------
HOECK	---QK-------------
HOEF	------PA----------
HOEFF	---QI-------------
HOEH	------PBPE--------
HOEHL	--------QE-Y------
HOEHN	--H---QA----------
HOEL	---QH-------------
HOELD	--------QE--------
HOELM	------QA----------
HOELZ	------PC----------
HOEPS	---QIQA-----------
HOER	--H----------Y-Y--
HOERCH	---QI-------------
HOERN	------PC--Y-------
HOERST	---QIQA-----------
HOERT	---QHQA-----------
HOF	A-----------------
HOFF	--I---------------
HOHL	-E----------------
HOHN	A-----------------
HOL	--H---------------
HOLD	-E----------------
HOLF	---NI-------------
HOLM	A-----------------
HOLZ	C-----------YY----
HOPS	A-I---------------
HORCH	--I----------Y----
HORN	C-----------Y-----
HORST	A-I---------------
HORT	A-H---------Y-----
HUB	A--LK-------------
HUEB	---MKPA-----------
HUEBSCH	-E----------------
HUEF	------QA----------
HUEHN	------PC----------
HUELD	------QB----------
HUELF	---MI-------------
HUELL	--H-------Y-------
HUEND	------QA----------
HUEP	---QI-------------
HUEPF	--I---PA----------
HUER	---QI-------------
HUESCH	---QIQA-----------
HUEST	---QI-------------
HUET	--K---PD--YY------
HUR	A-----------------

```
HUHN        C---------------
HULD        B---------------
HUND        A---------------
HUP         --I-------------
HUPF        A---------------
HUR         --I-------------
HUSCH       A-I-------------
HUST        --I-------------
HUT         D---------Y-----
IMPF        --H-------Y-----
ISS         ---MH-----------
JACHT       B---------------
JAECHT      -----QB---------
JAEG        ---QH-----------
JAEGD       -----QB---------
JAEH        -E--------------
JAEHR       --J--QC-------Y-
JAEPP       ---QI-----------
JAET        --H-------------
JAEUCH      ---QH-----------
JAEUL       ---QI-----------
JAG         --H-------------
JAGD        B------------Y--
JAHR        C---------------
JAPP        --I-------------
JAUCH       --H-------------
JAUL        --I-------------
JECK        AE--------------
JOCH        C---------------
JOECH       -----QC---------
JOEHL       ---QI-----------
JOHL        --I-------------
JUCK        A-I-------------
JUECK       ---QIQA---------
JUENG       ---QI--PE-------
JUGEND      B-------------Y-
JUNG        -EI-------------
KACK        A-I-------------
KAECK       ---QIQA---------
KAEFF       -----QD---------
KAEHL       -------QE-------
KAEHN       -----PA---------
KAELB       ---QIPC---------
KAELK       ---QHQA---------
KAELT       -------PE-------
KAEM        ---MI-----------
KAEMM       --H--PA--Y------
KAEMPF      --I--PA----Y----
KAEPP       ---QH-----------
KAER        -----QC---------
KAERG       -------PE-------
KAERR       ---QK-----------
KAERST      -----QA---------
KAES        --I-------------
KAEU        ---QH-----------
KAEUF       ---QHPA---------
KAEUZ       -----PA---------
KAFF        D---------------
KAHL        -E--------------
KAHN        A---------------
KALB        C-I-------------
```

KALK A-H-------------
KALT -E--------------
KAM ---LI-----------
KAMIN A---------------
KAMM A---------------
KAMPF A---------------
KANN ---MH-----------
KANNT ---OH-----------
KAPR --H-------Y-----
KAR C---------------
KARG -E--------------
KARR --K-------------
KARST A---------------
KAU --H-------------
KAUF A-H-------------
KAUZ A---------------
KEBS --H-------------
KECK -E------------Y-
KEHR --H--------Y----
KEIF --I-------------
KEIL A-H------Y------
KEIM A-I-------YY----
KENN --H-------YY-Y--
KERB --H-------------
KERL A--------Y------
KERN A---------------
KETT --K------YY-----
KEUCH --I-------------
KEUSCH -E--------------
KIEBITZ A-I-------------
KIEL A----------Y----
KIEN A---------------
KIES A-H--------Y----
KIRMES R---------------
KITT A-H-------------
KITZ C---------------
KLAEFF --IQK-----------
KLAEG ---QI-----------
KLAEMM -----QBQE-------
KLAENG ---MIPA---------
KLAEPP ---QK-----------
KLAEPS ---QKPA---------
KLAER --H----QE-Y---Y-
KLAETSCH ---QKQA---------
KLAEU ---QK----Y------
KLAEUB ---QH-----------
KLAFF --K-------------
KLAG --I--------Y-Y--
KLAMM BE--------------
KLANG A--LI---------Y-
KLAPP --K-------------
KLAPS A-K-------------
KLAR -E--------------
KLATSCH A-K--------Y----
KLAU --K-------------
KLAUB --H-------------
KLEB --K--------Y----
KLEE A---------------
KLEID C-K------YYY----
KLEIN -E-------Y----Y-
KLEMM --K--------Y----

```
KLICK      A-I--------------
KLIFF      C----------------
KLIMM      --I--------------
KLING      --I--------------
KLINK      --I--------------
KLIRR      --I--------------
KLOEMM     ---MI------------
KLOEN      --I--------------
KLOEPF     ---QK------------
KLOEPS     ------QA---------
KLOESS     ------PA---------
KLOETZ     ---QKPA----------
KLOMM      ---OI------------
KLOPF      --K--------------
KLOPS      A----------------
KLOSS      A----------------
KLOTZ      A-K---------Y----
KLUEFT     ------PB--Y------
KLUEG      --------PE-------
KLUFT      B----------------
KLUG       -E---------------
KLUNG      ---NI------------
KNACK      A-K--------------
KNAECK     ---QKQA----------
KNAELL     ---QKQA----------
KNAEPP     --------QE-------
KNAERR     ---QI------------
KNAEST     ------PA---------
KNAETSCH   ------QA---------
KNAEUF     ------PA---------
KNALL      A-K--------------
KNAPP      -E---------------
KNARR      --I--------------
KNAST      A----------------
KNATSCH    A----------------
KNAUF      A----------------
KNAUTSCH   A-K--------------
KNECHT     A-H--------Y---Y-
KNEIF      --K--------------
KNEIPP     --I--------------
KNET       --H-----------Y--
KNICK      A-H--------Y-----
KNIE       C-I--------------
KNIEST     A----------------
KNIFF      A--OK-------Y----
KNIRPS     A----------------
KNIRSCH    --K--------------
KNOEPF     ------PA---------
KNOER      --I--------------
KNOERR     ------QA---------
KNOERZ     ------QA---------
KNOET      ---QH------------
KNOPF      A----------------
KNORR      A----------------
KNORZ      A----------------
KNOSP      --I--------Y-----
KNOT       --H--------------
KNUEFF     ---QHPA----------
KNUELL     --H--------------
KNUEPF     --K--------Y-----
KNUERR     ---QI------------
```

```
KNUEST      -----PA---------
KNUFF       A-H-------------
KNURR       --I-------------
KNUST       A---------------
KOCH        D-K--------Y----
KOECH       ---QKPD---------
KOEG        -----PA---------
KOEHL       -----QA---------
KOELK       -----QA---------
KOEMM       ---QI-----------
KOENN       --H-------------
KOENNT      ---MH-----------
KOEPF       --K--PA--Y------
KOER        --HMH-----Y-----
KOERB       -----PA---------
KOERK       ---QHQA---------
KOERN       -----PD---Y-----
KOEST       ---QHQB-------Y-
KOETZ       ---QI-----------
KOHL        A---------------
KOLK        A---------------
KOMM        --I--------Y----
KONNT       ---OH-----------
KOOG        A---------------
KOPF        A---------------
KOR         ---OH-----------
KORB        A---------------
KORK        A-H-------------
KORN        D---------------
KOST        B-H----------Y--
KOTZ        --I-------------
KRACH       A-I-------------
KRAD        C---------------
KRAECH      ---QIPA---------
KRAED       -----PC---------
KRAEFT      -----PR---------
KRAEH       --I-------------
KRAEL       -----QA---------
KRAELL      ---QK-----------
KRAEM       ---QIQA---------
KRAEMPF     ---QIPA---------
KRAEN       -----PA---------
KRAENK      --KQI--PE-Y---Y-
KRAENZ      --H------Y-Y----
KRAESS      -------QE-------
KRAETZ      ---QK-----------
KRAEUL      ---QK-----------
KRAEUS      ---QH--QE-------
KRAFT       B---------------
KRAL        A---------------
KRALL       --K-------------
KRAM        A-I-------------
KRAMPF      A-J-------------
KRAN        A---------------
KRANICH     A---------------
KRANK       -EI-------------
KRASS       -E--------------
KRATZ       --K-------------
KRAUL       --K-------------
KRAUS       -FH-------------
KREBS       A-K-------------
```

KREIS A-I-------------
KREISCH --I-------------
KREISS --I-------------
KREUZ C-K-------YYY---
KRIECH --I-------------
KRIEG A-K--------Y----
KRISCH ---OI-----------
KROCH ---OI-----------
KROECH ---MI-----------
KROEN --H-------YY----
KROEPF -----PA---Y-----
KROPF A---------------
KRUEMM --K----QE-Y-----
KRUMM -E--------------
KUEH -----PB---------
KUEHL -EH-------Y-----
KUEHN -E------------Y-
KUEND --H----QE----Y--
KUENST -----PB---------
KUER B-H-------------
KUERBIS A---------------
KUERZ --H----PE-Y-----
KUESS --H--PA-------Y-
KUETSCH ---QI-----------
KUH B---------------
KUND -E---------Y-Y--
KUNST B---------------
KURZ -E--------------
KUSS A---------------
KUTSCH --I-------------
LAB --K-------Y-----
LACH --K-------------
LACHS A---------------
LAD --H-------YY----
LAEB ---QK-----------
LAECH ---QK-----------
LAECHS -----QA---------
LAED ---MH-----------
LAEFF -------QE-------
LAEHM --H----QE-Y-----
LAEHM --HQI--QE-Y-----
LAELL ---QI-----------
LAEMM ---QIPC---------
LAEND --KQIPC--Y----Y-
LAENG --KQK--PE-----Y-
LAERM A-I-------------
LAES ---MK-----------
LAESCH -------QE-------
LAESS ---MK-----------
LAEST ---QKQB---------
LAETSCH -----QA---------
LAETZ ---QKPA---------
LAEU -------QE-------
LAEUB -----QC---------
LAEUCH -----QA---------
LAEUF ---MKPA---------
LAEUS -----PB---------
LAEUSCH ---QI-----------
LAEUT --KQIQA---------
LAFF -E--------------
LAHM -EI-------------

LAIB	A---------Y-----
LAICH	A-I-------------
LAUL	--I-------------
LAMM	C-I-------------
LAND	C-K-------Y-----
LANG	-EK--------Y----
LAS	---LK-----------
LASCH	-E--------Y-----
LASS	--K--------Y----
LAST	B-K--------Y-Y--
LATSCH	A-K-------------
LATZ	A-H-------------
LAU	-E------------Y-
LAUB	C----------Y----
LAUCH	A---------------
LAUF	A-K--------Y----
LAUS	B---------------
LAUSCH	--I--------Y----
LAUT	A-I-------Y--Y--
LECK	CEK--------Y----
LEER	-EH-------Y-----
LEG	--KNI-----YY----
LEHM	A-H-------------
LEHR	--H--------Y----
LEIB	A--------YY---Y-
LEICHT	-E--------------
LEID	CEK---------Y-YY
LEIH	--H--------Y----
LEIM	A-H-------------
LENK	--H-------Y--Y--
LENZ	D---------------
LERN	--H--------Y-Y--
LES	--K-------YY-Y--
LICHT	CE-------YYY----
LID	C---------------
LIEB	-EH------Y-Y--Y-
LIED	C--------Y------
LIEF	---LK-----------
LIEG	--I-------------
LIEH	---OH-----------
LIES	---MK-----------
LIESS	---LK-----------
LIND	-E--------------
LINK	-E--------------
LINS	--I-------------
LISCH	---MK-----------
LIST	B----------Y----
LITT	---OK-----------
LOCH	D---------------
LOECH	-----PD---------
LOECK	--I-------------
LOEG	---MI-----------
LOEGG	---QH-----------
LOEHN	--HQHPA---Y-----
LOES	--HQIQCQE-Y---Y-
LOESCH	--K-------------
LOESS	A---------------
LOET	--H--QC---Y-----
LOG	---OI-----------
LOGG	--H-------------
LOHN	A-H--------Y----

LOS	CEI-------------
LOSCH	---OK-----------
LOT	C---------------
LUCHS	A-I--------Y----
LUD	---LI-----------
LUECHS	---QIQA---------
LUED	---MH-----------
LUEFT	--H--PB--YY-----
LUEG	--IQIQA----Y----
LUELL	---QK-----------
LUEMP	---QKQA---------
LUERCH	-----QA---------
LUEST	-----PB---------
LUETSCH	---QH-----------
LUETT	-E--------------
LUFT	B---------------
LUG	A-I-------------
LULL	--K-------------
LUMP	A-K-------------
LURCH	A---------------
LUST	B-----------Y---
LUTSCH	--H--------Y----
MAAR	C---------------
MAAT	A---------------
MACH	--H--------Y----
MACHT	B---------------
MAECH	---QH-----------
MAECHT	-----PB---------
MAEGD	-----PB---------
MAEH	--K----------Y--
MAEHD	-----QB---------
MAEHL	-----QC---------
MAEHN	---QH-----------
MAEL	---QHQC---------
MAELZ	-----QC---------
MAEMPF	---QH-----------
MAENG	---QH-----------
MAENN	-----PA---------
MAENSCH	---QH-----------
MAER	B----QC--Y------
MAERK	-----QD---------
MAERKT	-----PA---------
MAERSCH	-----PD---------
MAESS	-----QD---------
MAEST	--K-------Y-----
MAET	-----QA---------
MAETSCH	---QKQA---------
MAEUL	---QIPC---------
MAEUNZ	---QI-----------
MAEUS	-----PB---------
MAG	---MH-----------
MAGD	B-------------Y-
MAHD	B---------------
MAHL	C---------------
MAHN	--H-------Y-----
MAID	B---------------
MAL	C-H--------Y-Y--
MALZ	C---------------
MAMPF	--H-------------
MANG	--H-------------
MANN	A----------Y-Y--

MANSCH	--H-------------
MARK	D---------Y-----
MARKT	A---------------
MARSCH	D---------------
MASS	D--OK-----------
MATSCH	A-K-------------
MAUL	C-I-------------
MAUNZ	--I-------------
MAUS	B---------------
MEER	C---------------
MEHL	C---------------
MEHR	--H-------Y-----
MEID	--H-------------
MELD	--K-------Y-----
MELK	--K----------Y--
MENG	--K-------YY----
MENSCH	A-------------YY
MERK	--K------Y-Y-YYY
MESS	--K-------YY-Y--
MET	A---------------
MIAU	--I-------------
MIED	---OH-----------
MIET	--H-------------
MILCH	B-I-------------
MILD	-E--------------
MILK	---MK-----------
MILZ	B---------------
MISCH	--K-------Y--Y--
MISS	--HMK---------Y-
MIST	A-H-------------
MOCHT	---OH-----------
MOECHT	---MH-----------
MOEG	--H-----------YY
MOEHN	-----QA---------
MOEHR	-----QA---------
MOELCH	-----QA---------
MOELK	---MK-----------
MOELSCH	-------QE-------
MOENCH	A---------------
MOEND	-----QA---------
MOEPS	---QKPA--Y------
MOER	-----QC---------
MOERD	---QHQA---------
MOERSCH	---QI--QE-------
MOES	-----QC---------
MOEST	---QHQA---------
MOETZ	---QI-----------
MOHN	A---------------
MOHR	A---------------
MOLCH	A---------------
MOLK	---OK-----------
MOLSCH	-E--------------
MONAT	A---------------
MOND	A---------------
MOOR	C---------------
MOOS	C----------Y----
MOPS	A-K-------------
MORD	A-H-------------
MORSCH	-EI-------------
MOST	A-H-------------
MOTZ	--I-------------

```
MUEFF     ---QI-----------
MUEH      --J--------Y----
MUELSCH   -------QE-------
MUEMM     -----QA---------
MUEND     --IQIPD--YY---Y-
MUENZ     --H-------------
MUERKS    -----QA---------
MUERR     ---QI-----------
MUES      -----QC---------
MUESS     --I-------------
MUET      -----QA---------
MUFF      --I-------------
MUH       --I-------------
MULSCH    -E--------------
MUMM      A---------------
MUND      D-I-------------
MURKS     A---------------
MURR      --I-------------
MUS       C---------------
MUSS      ---MI-----------
MUSST     ---OI-----------
MUT       A---------Y-----
NACHT     B---------------
NAECH     -------PE-------
NAECHT    -----PB-------Y-
NAEG      ---QH-----------
NAEH      --HQI--PE-------
NAEHM     ---MH-----------
NAEHR     --K-----------Y-
NAEHT     -----PB---------
NAEPF     -----PA---------
NAERR     ---OKOA---------
NAESCH    ---QH-----------
NAESS     --K----PE--Y--Y-
NAG       --H--------Y----
NAH       -EI-------------
NAHM      ---LH-----------
NAHT      B---------------
NANNT     ---OH-----------
NAPF      A---------------
NARR      A-K-------------
NASCH     --H--------Y----
NASS      -E--------------
NECK      --H-------------
NEHM      --H--------Y----
NEID      A-H--------Y----
NEIG      --H-------Y-----
NENN      --K-------YY-Y--
NEPP      --H-------------
NEST      C--------Y------
NETT      -E--------------
NETZ      C----------Y----
NEU       -E------------Y-
NICK      --K--------Y----
NIES      --I--------Y----
NIMM      ---MH-----------
NIST      --I-------------
NOERD     -----QA---------
NOET      -----PB---------
NOMM      ---NH-----------
NORD      A---------------
```

NOT	B---------------
NUESS	-----PB---------
NUETZ	--K-----------YY
NUSS	B---------------
OBST	C---------------
OCHS	A-H-------------
OEBST	-----QC---------
OECHS	---QHQA---------
OED	-E--------------
OEHR	C----QC--Y------
OEL	C-H-------Y-----
OERT	---QHPD---------
OEST	-----QA---------
OHR	C---------------
ORT	D-H-------Y-----
OST	A---------Y-----
PAAR	C-K-------Y-----
PACHT	B-H-------Y-----
PACK	C-H-------YY----
PAECHT	---QHQB---------
PAECK	---QHQC---------
PAEFF	---QI-----------
PAEK	-----QB---------
PAEMP	-----QA---------
PAEMPS	-----QA---------
PAENSCH	---QK-----------
PAENTSCH	---QH-----------
PAEPP	---QH-----------
PAER	---QKQC---------
PAESS	---QIPA---------
PAETSCH	---QI-----------
PAFF	--I-------------
PAK	B---------------
PAMP	A---------------
PAMPS	A---------------
PANSCH	--K-------------
PANTSCH	--H-------------
PAPP	--H-------------
PASS	A-I-------Y-----
PECH	C---------------
PEIL	--H-------Y-----
PEIN	B-------------Y-
PEITSCH	--H-------Y-----
PELL	--H-------------
PELZ	A--------------.
PERL	--I-------------
PES	--I-------------
PEST	B---------------
PETZ	A-H-------------
PFAD	A---------------
PFAED	-----QA---------
PFAEHL	-----PA---Y-----
PFAELZ	-----QB---------
PFAEND	--H--PC---Y--Y--
PFAEU	-----QA---------
PFAHL	A---------------
PFALZ	B---------------
PFAND	C---------------
PFAU	A---------------
PFEIF	--K-------------
PFEIL	A---------------

PFERCH	A-K-------------
PFERD	C---------------
PFIFF	A--OK-----------
PFLAENZ	---QH-----------
PFLANZ	--H-------YY--Y-
PFLEG	--K-----------Y-
PFLICHT	B-H-------------
PFLOCK	A---------------
PFLOECK	-----PA---------
PFLOG	---OK-----------
PFLUECK	--H-------------
PFLUEG	--K--PA----Y----
PFLUG	A---------------
PFRIEM	A-H-------------
PFROEPF	-----QA---------
PFROPF	A---------------
PFUEHL	C---------------
PFUEND	-----QC---------
PFUND	C---------------
PFUSCH	--I-------------
PICK	A-H--------Y----
PIEP	A---------------
PINN	--H-------------
PIPI	C---------------
PIRSCH	B---------------
PISS	A-I-------------
PLACK	D---------------
PLAECK	-----QD---------
PLAEG	---QI-----------
PLAEN	---QHPA---------
PLAENSCH	---QI-----------
PLAERR	--I-------------
PLAETSCH	---QIQA---------
PLAETT	--K----QEY------
PLAETZ	---QIPA---------
PLAEUSCH	---QIPA---------
PLAG	--I-------------
PLAN	A-H-------Y-----
PLANSCH	--I-------------
PLATSCH	A-I-------------
PLATT	-E---------Y----
PLATZ	A-I-------------
PLAUSCH	A-I-------------
PLUEMP	-------QE-------
PLUMP	-E--------------
POCH	--I-------------
POECH	---QI-----------
POETT	-----PA---------
POTT	A---------------
PRACHT	B---------------
PRAECHT	-----QB---------
PRAEG	--H-------Y-----
PRAEHL	---QI-----------
PRAELL	---QIQA---------
PRAENG	---QK-----------
PRAESS	---QIQA---------
PRAHL	--I-------------
PRALL	A-I-------------
PRANG	--K-------------
PRASS	A-I-------------
PREIS	A-H-----------Y-

```
PRELL      --K------------
PRESCH     --I------------
PRESS      --K------------
PRIEL      A--------------
PRIEM      A-K------------
PRIES      ---OH----------
PRINZ      A--------------
PROB       --H------------
PROEB      ---QH----------
PROETZ     ---QHQA--------
PROTZ      A-H------------
PRUEF      --H-------Y----
PRUENK     ---QIQA--------
PRUEST     ---QH----------
PRUNK      A-I------------
PRUST      --H------------
PUEFF      ---QHPD--------
PUEMP      ---QHQA--------
PUEP       ---QIQA--------
PUEST      ---OH----------
PUETSCH    ---QKQA--------
PUETZ      ---QHQA--------
PUFF       D-H------------
PUMP       A-H------------
PUP        A-I------------
PUST       --H------------
PUTSCH     A-K------------
PUTZ       A-H------------
QUAEK      --IQK----------
QUAEL      --K--QB--------
QUAELL     -----QA--------
QUAELM     ---QIQA--------
QUAERZ     -----QD--------
QUAEST     -----QA--------
QUAETSCH   ---QKQA--------
QUAK       --K------------
QUAL       B--------------
QUALL      A--------------
QUALM      A-I------------
QUARZ      D--------------
QUAST      A--------------
QUATSCH    A-K------------
QUELL      A-K------YY----
QUER       -EH------------
QUETSCH    --H-------Y----
QUICK      -E-------------
QUIEK      --I------------
QUIETSCH   --I------------
QUILL      ---MK----------
QUIRL      A-K------------
QUOELL     ---MK----------
QUOLL      ---OK----------
RAD        C--------------
RAECH      --K------------
RAED       -----PC--------
RAEFF      ---OH----------
RAEG       ---QI----------
RAEHM      ---QHQA--------
RAEMM      ---QHQA--------
RAEND      -----PA--------
RAENG      ---MHPA--------
```

```
RAENK      ---QK--QE--------
RAENN      ---MK------------
RAEPS      -----QA----------
RAES       ---QI------------
RAESCH     -------QE--------
RAEST      ---QIQB----------
RAET       ---MHPA----------
RAETSCH    --I--------------
RAETZ      -----PA----------
RAEUB      ---QHQA----------
RAEUCH     -----QA----------
RAEUF      ---QK------------
RAEUH      -------QE--------
RAEUM      --H--PA----Y---Y-
RAEUM      ---QI------Y---Y-
RAEUSCH    ---QIPA----------
RAFF       --H--------Y-----
RAG        --I--------------
RAHM       A-H---------Y----
RAIN       A----------Y-----
RAMM       A-H--------------
RAND       A----------------
RANG       A--LH------------
RANK       -EK---------Y----
RANN       ---LK------------
RANNT      ---OK------------
RAPS       A----------------
RAS        --I--------------
RASCH      -E---------------
RAST       B-I--------------
RAT        A-H---------Y----
RATZ       A----------------
RAUB       A-H---------Y----
RAUCH      A-K---------Y----
RAUF       --K---------Y----
RAUH       -E---------Y-----
RAUM       A----------------
RAUN       --I---------Y----
RAUSCH     A-I---------Y----
RECH       --H--------------
RECHT      CEI----------Y-YY
RECK       C----------------
RED        --H---------Y--YY
REFF       C----------------
REG        --K--------Y-----
REH        C----------------
REIB       --K--------------
REICH      CEK--------Y---Y-
REIF       AEI---------Y----
REIH       --K--------Y-----
REIM       A-K---------Y----
REIN       -E----------YY-Y-
REIS       A---------Y-Y----
REISS      --K--------------
REIT       --K---------Y----
REIZ       A-H--------Y--Y--
REN        C----------------
RENK       --H--------Y-----
RENN       --K---------Y----
RETT       --H--------Y-----
REU        --H---------Y----
```

GRUNDLISTE 1 KERNE MIT MARKEN

```
RICHT     --K-------YYY---
RICK      C---------------
RIEB      ---LK-----------
RIECH     --K--------Y-Y--
RIED      C---------------
RIEF      ---LK-----------
RIET      ---LH-----------
RIFF      C---------------
RIND      C---------------
RING      A-H--------Y----
RINN      --I------Y------
RISS      ---OK-----------
RITT      ---OK-----------
RITZ      --H------Y------
ROBB      --I-------------
ROCH      ---OK-----------
ROCK      A---------------
ROD       --H-------Y-----
ROEBB     ---QI-----------
ROECK     -----PA---------
ROEH      -------QE-------
ROEHR     --K--PC--Y------
ROEST     --HQIQA---Y-----
ROET      --H----PE-Y---Y-
ROETT     ---QK-----------
ROETZ     ---QIQA---------
ROH       -E--------------
ROHR      C----------Y----
RONN      ---NI-----------
ROST      A-I-------------
ROT       -E--------------
ROTT      --K-------------
ROTZ      A-I-------------
RUCH      A---------------
RUCK      A-I-------------
RUECH     -----PA---------
RUECK     --HQIPA----Y----
RUEF      ---QKQA---------
RUEG      --H----------Y--
RUEH      ---QI-----------
RUEHM     --K--QA----Y--YY
RUEHR     --K--QB---YY-Y--
RUEMPF    --H--PA---------
RUEND     -----QAQE-------
RUEPF     ---QH-----------
RUESCH    --H-------------
RUESS     ---QKQA---------
RUEST     --H-------YY----
RUETSCH   ---QIQA---------
RUF       A-K--------Y----
RUH       --I--------YY---
RUHM      A---------------
RUHR      B---------------
RUMPF     A---------------
RUND      CE--------Y---Y-
RUNG      ---NH-----------
RUPF      --H--------Y----
RUSS      A-K--------Y----
RUTSCH    A-I-------------
SAAL      A---------------
SAAT      B---------------
```

SACHT	-E--------------
SACK	A----------Y----
SAE	--H--------Y----
SAECHT	-------QE-------
SAECK	-----PA--Y------
SAEFT	-----PA---------
SAEG	--K-------------
SAEG	---QK-----------
SAEH	---MK-----------
SAEHN	---QH-----------
SAEL	-----PA---------
SAELZ	---QHQC---------
SAEMT	-----QA---------
SAEND	---QHQA---------
SAENFT	-------QE-------
SAENG	---QK-----------
SAENG	---MHPA---------
SAENK	---MI-----------
SAENN	---MK-----------
SAERG	-----PA---------
SAESS	---MI-----------
SAET	-----QB---------
SAETT	-------QE-------
SAEU	-----PB---------
SAEUF	---QK-----------
SAEUF	---MK-----------
SAEUG	--H-------------
SAEUM	--K--------Y----
SAEUS	---QIQA---------
SAFT	A---------------
SAG	--K--------Y-Y--
SAH	---LK-----------
SAHN	--H-------------
SALZ	C-H-------------
SAMT	A---------------
SAND	A-H-------------
SANDT	---OH-----------
SANFT	-E--------------
SANG	A--LH--------Y--
SANK	---LI-----------
SANN	---LK-----------
SARG	A---------------
SASS	---LI-----------
SATT	-E--------------
SAU	B----------Y----
SAUF	--K--------Y----
SAUG	--K-------------
SAUS	A-I-------------
SCHAB	--H--------Y----
SCHACHT	A---------------
SCHAD	--I-------------
SCHAEB	---QH-----------
SCHAECHT	-----PA---Y-----
SCHAED	---QI-----------
SCHAEF	-----QC---------
SCHAEFF	---QK-----------
SCHAEFT	-----PA---Y-----
SCHAEL	--K----QE-YY----
SCHAELK	-----PA---------
SCHAELL	-----PA---------
SCHAELL	---QIPA---------

GRUNDLISTE 1   KERNE MIT MARKEN   30

SCHAELT	---QK-----------
SCHAEM	--J--QB----Y----
SCHAEND	--H-------Y---Y-
SCHAENK	-----PA---------
SCHAENZ	---QI-----------
SCHAENZ	---QI-----------
SCHAER	---QKQB---------
SCHAERF	-------PE-------
SCHAERR	---QK-----------
SCHAETZ	-----PA--YYY-Y--
SCHAEU	---QKQB---------
SCHAEUM	--K--PA----Y----
SCHAF	C---------------
SCHAFF	--K-------YY--Y-
SCHAFT	A---------------
SCHAL	-E--------YY----
SCHALK	A---------------
SCHALL	A-I--------Y----
SCHALT	--KLH-----Y-----
SCHAM	B---------------
SCHANK	A---------------
SCHANZ	--I-------------
SCHAR	B-K-------Y-----
SCHARF	-E--------------
SCHARR	--K-------------
SCHATZ	A---------Y-----
SCHAU	B-K-------YY-Y--
SCHAUM	A---------------
SCHECK	--H-------Y-----
SCHEEL	-E--------------
SCHEID	--K-------Y-----
SCHEIN	A-I--------YYY-Y
SCHEISS	--I--------Y----
SCHEIT	A--------Y------
SCHELL	--K-------------
SCHELM	A---------------
SCHELT	--H--------Y----
SCHENK	A-H-------YY----
SCHER	--K-------YY----
SCHERZ	A-I--------Y----
SCHEU	BEK-------------
SCHEUCH	--H-------------
SCHI	A---------------
SCHICHT	B-K-------Y-----
SCHICK	-EK-------YY--YY
SCHIEB	--H-------Y-----
SCHIED	---OK---------Y-
SCHIEF	-E--------------
SCHIEL	--I-------------
SCHIEN	---OI------Y----
SCHIER	-E--------------
SCHIESS	--K--------Y----
SCHIFF	C-I------Y-Y-Y--
SCHILD	D--------Y------
SCHILF	C----------Y----
SCHILT	---MH-----------
SCHIMPF	A-H--------Y--Y-
SCHIND	--K-------------
SCHIPP	--H------Y------
SCHIRM	A-H-------YY----
SCHIRR	--H-------------

SCHISS	A--OI-----------
SCHLACHT	B-H-------Y-----
SCHLAEF	---MIQA---------
SCHLAEFF	-------QE-------
SCHLAEG	---MK-----------
SCHLAEKS	-----QA---------
SCHLAEMM	--H--QA---------
SCHLAEMP	-----QA---------
SCHLAENG	---MH-----------
SCHLAENK	-------QE-------
SCHLAEPP	-------QE-------
SCHLAEU	-------QE-------
SCHLAF	A-I--------Y----
SCHLAFF	-E--------------
SCHLAG	A-K--------Y----
SCHLAKS	A---------------
SCHLAMM	A---------------
SCHLAMP	A---------------
SCHLANG	---LH-----------
SCHLANK	-E--------------
SCHLAPP	-E--------------
SCHLAU	-E--------------
SCHLAUCH	A-H-------------
SCHLECHT	-E--------------
SCHLECK	--K--------Y----
SCHLEICH	--I--------Y----
SCHLEIF	--K-------Y-----
SCHLEIM	A-I--------Y----
SCHLEISS	--K-------------
SCHLEMM	--K-------------
SCHLENZ	--I-------------
SCHLEPP	C-K-------------
SCHLEUS	--K--------Y----
SCHLICH	A--OI-----------
SCHLICHT	-EH-------Y-----
SCHLICK	A---------------
SCHLIEF	--I-------------
SCHLIEF	--ILI-----------
SCHLIESS	--H-------YY-YY-
SCHLIFF	A--OK-----------
SCHLIMM	-E--------------
SCHLING	--H-------------
SCHLIPS	A---------------
SCHLISS	---OH-----------
SCHLITZ	A-K-------------
SCHLOESS	---MHPC---------
SCHLOSS	C--OH-----------
SCHLUCHT	B---------------
SCHLUCHZ	--I-------------
SCHLUCK	A-H-------------
SCHLUECK	---QHPA---------
SCHLUEG	---MK-----------
SCHLUEND	-----PA---------
SCHLUEPF	--IQIPA---------
SCHLUERF	--HQI-----------
SCHLUESS	-----PA---------
SCHLUG	---LK-----------
SCHLUND	A---------------
SCHLUNG	---NH-----------
SCHLUPF	A-I-------------
SCHLURF	--I-------------

```
SCHLUSS     A---------------
SCHMACH     B---------------
SCHMACHT    --I-------------
SCHMAECH    -----QB---------
SCHMAEL     -------PE-------
SCHMAELZ    --HQHOC---------
SCHMAETZ    ---QIPA---------
SCHMAEUS    ---QHPA---------
SCHMAL      -E--------------
SCHMALZ     C-H-------------
SCHMATZ     A-I-------------
SCHMAUCH    --K-------------
SCHMAUS     A-H-------------
SCHMECK     --K-------------
SCHMEISS    --K--------Y----
SCHMELZ     A-K-------Y--Y--
SCHMER      D---------------
SCHMERZ     A-K------Y----Y-
SCHMIED     A-H-------Y--Y--
SCHMIEG     --K-------------
SCHMIER     A-K--------Y----
SCHMILZ     ---MK-----------
SCHMINK     --H-------------
SCHMISS     A--OK-----------
SCHMOELL    ---QI-----------
SCHMOELZ    ---MK-----------
SCHMOER     ---QK-----------
SCHMOLL     --I-------------
SCHMOLZ     ---OK-----------
SCHMOR      --K-------------
SCHMUCK     AE--------------
SCHMUECK    --H--QAOE-Y-----
SCHMUES     ---QKQA---------
SCHMUS      A-K-------------
SCHNACK     A-I-------------
SCHNAECK    ---QIPA---------
SCHNAELL    ---QK-----------
SCHNAELZ    ---QI-----------
SCHNAEPP    ---QK-----------
SCHNAERS    -----PA---------
SCHNAERR    ---QI-----------
SCHNAEUB    ---QI-----------
SCHNAEUF    ---QI-----------
SCHNAEUZ    ---QI-----------
SCHNALL     --K-------------
SCHNALZ     --I-------------
SCHNAPP     --K-------------
SCHNAPS     A---------------
SCHNARCH    --I--------Y----
SCHNARR     --I-------------
SCHNAUB     --I-------------
SCHNAUF     --I--------Y----
SCHNAUZ     --I-------------
SCHNEE      A---------------
SCHNEI      --I--------Y----
SCHNEID     A-K--------Y----
SCHNELL     -EH--------Y----
SCHNEUZ     --K-------------
SCHNICK     A-I-------------
SCHNITT     ---OK----Y------
SCHNITZ     --H-------------
```

SCHNOB	---OI-----------
SCHNOEB	---MI-----------
SCHNOERR	---QH-----------
SCHNORR	--H-------------
SCHNUER	-----PB--YYY----
SCHNUR	B---------------
SCHNURR	--I-------------
SCHOB	---OH-----------
SCHOCK	C-H-------------
SCHOEB	---MH-----------
SCHOECK	---QHQC---------
SCHOELL	---MI-----------
SCHOELT	---MH-----------
SCHOEN	-EHQH-----YY----
SCHOEPF	-----PA--YY-----
SCHOER	---MK-----------
SCHOERF	-----QA---------
SCHOESS	---MKPA---------
SCHOETT	-----QC---------
SCHOLL	---LI-----------
SCHOLT	---NH-----------
SCHON	--H-------Y-----
SCHOPF	A---------------
SCHOR	---OK-----------
SCHORF	A---------------
SCHOSS	A--OK-----------
SCHOTT	C---------------
SCHRAEG	-EHQI-----Y-----
SCHRAEK	---MK-----------
SCHRAEMM	---QH-----------
SCHRAENK	--H------Y-Y----
SCHRAEPP	---QH-----------
SCHRAEUB	---QH-----------
SCHRAK	---LK-----------
SCHRAMM	--H-------------
SCHRAPP	--H-------------
SCHRAUB	--H-------------
SCHRECK	A-K-----------Y-
SCHREI	A-I--------Y----
SCHREIB	--K-------YY----
SCHREIN	A---------------
SCHREIT	--I-------YY----
SCHRICK	---MK-----------
SCHRIE	---OI-----------
SCHRIEB	A--OK-----------
SCHRIFT	B----------Y--Y-
SCHRILL	-EI-------------
SCHRITT	A--OI-----------
SCHROCK	---NK-----------
SCHROEFF	-------PE-------
SCHROEPF	--H-------------
SCHROET	-----QD---------
SCHROETT	-----QA---------
SCHROFF	-E--------------
SCHROT	D----------Y----
SCHROTT	A---------------
SCHRUBB	--H-------------
SCHRUEBB	---QH-----------
SCHRUEPP	---QH-----------
SCHRUPP	--H-------------
SCHUB	A---------------

SCHUEB	-----PA---------
SCHUEF	---MK-----------
SCHUEFT	---QIQA---------
SCHUEH	-----QA---------
SCHUELD	---QHQB---------
SCHUEND	---MKQA---------
SCHUER	--H-------------
SCHUERF	--K-------Y-----
SCHUERR	---QI-----------
SCHUERZ	--H-------Y-----
SCHUESS	-----PA---------
SCHUETT	-----QA---YY----
SCHUETZ	--H--QA----Y----
SCHUF	---LK-----------
SCHUFT	A-I-------------
SCHUH	A----------Y----
SCHULD	B-H---------YY--
SCHUND	A--OK-----------
SCHURR	--I-------------
SCHURZ	A---------------
SCHUSS	A---------------
SCHUTT	A---------------
SCHUTZ	A---------------
SCHWACH	-E--------------
SCHWAECH	--H----PE-Y---Y-
SCHWAELL	-----QA---------
SCHWAEMM	---MIPA--Y------
SCHWAEN	---QIPA---------
SCHWAEND	---MI-----------
SCHWAENG	---MK-----------
SCHWAENK	---QIPA---------
SCHWAENZ	--K--PA--Y------
SCHWAEPP	---QI-----------
SCHWAER	--I-------------
SCHWAERM	--I--PA---------
SCHWAERZ	--H----PE-Y---Y-
SCHWAETZ	--IQKQA---------
SCHWALL	A---------------
SCHWAMM	A--LI-----------
SCHWAN	A-I-------------
SCHWAND	---LI-----------
SCHWANG	---LK-----------
SCHWANK	A-I-------Y-----
SCHWANZ	A----------Y----
SCHWAPP	--I-------------
SCHWARM	A---------------
SCHWARZ	-E--------------
SCHWATZ	A-K--------Y----
SCHWEB	--I-------Y-----
SCHWEIF	A-I--------Y----
SCHWEIG	--K--------Y----
SCHWEIN	C---------------
SCHWEISS	A-K-------YY----
SCHWEL	--K-------Y-----
SCHWELG	--I-------------
SCHWELL	--K-------Y-----
SCHWEMM	--H--------Y----
SCHWENK	--K-------Y-----
SCHWER	-E---------Y----
SCHWIEG	---OK-----------
SCHWIEM	--I-------------

SCHWILL	---MK-----------
SCHWIMM	--I--------Y----
SCHWIND	--I-------Y-----
SCHWING	--K-------YY----
SCHWIPS	A---------------
SCHWIRR	--I-------------
SCHWITZ	A-I--------Y----
SCHWOEF	---QIQA---------
SCHWOELL	---MK-----------
SCHWOEMM	---MI-----------
SCHWOER	--K--------Y----
SCHWOF	A-I-------------
SCHWOLL	---OK-----------
SCHWOMM	---NI-----------
SCHWOR	---OK-----------
SCHWUEL	-E--------------
SCHWUEND	-----QA---------
SCHWUENG	-----PA---------
SCHWUER	---MKPA---------
SCHWUL	-E--------------
SCHWULST	A---------------
SCHWUND	A--NI-----------
SCHWUNG	A--NK-----------
SCHWUR	A--LK-----------
SEE	D---------------
SEH	--K--------Y----
SEHN	--J-----------Y-
SEICH	A-I-------------
SEICHT	-E--------------
SEIF	--H-------------
SEIH	--H-------------
SEIL	C----------Y----
SELCH	--H-------------
SEND	--H-------YY----
SENF	A---------------
SENG	--H-------------
SENK	--K-------Y-----
SESS	---NI-----------
SICHT	B-H-------Y-YYY-
SIEB	C-H-------------
SIECH	-EI-------------
SIED	--K-------------
SIEG	A-I--------Y----
SIEH	---MK-----------
SIEL	D---------------
SIMS	D---------------
SING	--H--------Y-Y--
SINK	--I-------------
SINN	A-K--------Y--YY
SITZ	A-I-------YY----
SOEFF	---MK-----------
SOEG	---MKQA---------
SOEHN	-----PA---------
SOELD	-----QA---------
SOELL	---QIQC---------
SOENN	---XX-----------
SOERG	---QI-----------
SOESS	---QH-----------
SOETT	---MK-----------
SOFF	---OK-----------
SOG	A--OK-----------

```
SOHN       A----------------
SOLD       A-----------Y----
SOLL       C-I--------------
SONN       --JNK-------Y----
SORG       --I---------Y--Y-
SOSS       --H--------------
SOTT       ---UK------------
SPAEH      --I---------Y----
SPAELT     ---QKQA----------
SPAEN      ---XX------------
SPAENN     ---MK------------
SPAER      ---QK------------
SPAESS     ---QIPA----------
SPAET      -E---------------
SPAETZ     -----QA----------
SPALT      A-K--------Y-----
SPAN       A----------------
SPANN      --KLK------YY----
SPAR       --K--------------
SPASS      A-I--------------
SPATZ      A----------------
SPECHT     A----------------
SPECK      A----------------
SPEER      A----------------
SPEI       --K---------Y----
SPEIS      B-H--------Y-----
SPEND      --H--------Y-----
SPERR      --H--------Y-----
SPICK      --K---------Y----
SPIE       ---OK------------
SPIEL      C-K---------Y----
SPIESS     A-H--------------
SPIND      D----------------
SPINN      --K---------Y----
SPINT      D----------------
SPITZ      A-K---------Y----
SPLEISS    --H--------------
SPLISS     ---OH------------
SPOENN     ---MK------------
SPOERN     ---QHQA----------
SPOETT     ---QIQA----------
SPONN      ---NK------------
SPORN      A-H--------------
SPOTT      A-I---------Y----
SPRACH     ---LK------------
SPRAECH    ---MK------------
SPRAENG    ---MI------------
SPRANG     ---LI------------
SPRECH     --K---------Y----
SPREISS    --I--------------
SPREIZ     --K--------Y-----
SPRENG     --K--------YY----
SPREU      B----------------
SPRICH     ---MK------------
SPRIESS    --K--------------
SPRING     --I---------Y----
SPRITZ     --K---------Y----
SPROCH     ---NK------------
SPROESS    ---XXPA----------
SPROSS     A-IOK------YY----
SPRUCH     A----------------
```

SPRUECH	-----PA---------
SPRUEH	--I--------Y----
SPRUENG	-----PA---------
SPRUNG	A--NI-----------
SPUCK	--I-------------
SPUEK	---QIQA---------
SPUEL	--KQIQA---YY----
SPUEND	---QHPA---------
SPUER	--HQIQB--Y------
SPUERT	---QIQA---------
SPUET	---QJ-----------
SPUK	A-I-------------
SPUL	--H-------------
SPUND	A-H-------Y-----
SPUR	B-I-------------
SPURT	A-I-------------
SPUT	--J-------------
STAB	A-K-------------
STACH	---LK-----------
STADT	B---------------
STAEB	---QKPA---------
STAECH	---MK-----------
STAEDT	-----PB---------
STAEHL	--HMHPA----Y----
STAEK	---XX-----------
STAELL	-----PA---------
STAEMM	---QIPA---------
STAEMPF	---QK-----------
STAEND	---MKPA---------
STAENK	---MI-----------
STAENZ	---QH-----------
STAEPF	---QI-----------
STAER	-----QA---------
STAERR	---QI--QE-------
STAERR	-------QE-------
STAEU	---QKQA---------
STAEUB	--KQKPA--Y-Y----
STAEUCH	---QH-----------
STAEUN	---QI-----------
STAEUP	--H-------------
STAHL	A--LH-----------
STAK	--HLK-----Y-----
STALL	A---------YY----
STAMM	A-I-------------
STAMPF	--K-------------
STAND	A--QK-----------
STANK	---LI-----------
STANZ	--H-------------
STAPF	--I-------------
STAR	A---------------
STARB	---LI-----------
STARK	-E--------------
STARR	-EI-------------
STAU	A-K-------Y-----
STAUB	A-K--------Y----
STAUCH	--H-------------
STAUN	--I--------Y----
STECH	--K--------Y----
STECK	--K--------Y----
STBG	A---------------
STEH	--K--------Y----

STEHL	--H--------Y----
STEIF	-EH-------YY----
STEIG	A-I-------YY----
STEIL	-E--------Y-----
STEIN	A---------------
STEISS	A---------------
STELL	--K-------YY----
STELZ	--I-------------
STEMM	--K-------------
STEPP	--K--------Y----
STERB	--I-----------YY
STERN	A--------Y------
STERZ	A---------------
STET	-E--------------
STICH	---LK-----------
STIEB	--I--------Y----
STIEG	---OI-----------
STIEHL	---MH-----------
STIEL	A----------Y----
STIER	A-I-------------
STIESS	---LK-----------
STIFT	D-K-------Y-----
STILL	-EH-------Y-----
STIMM	--K------YYY--Y-
STINK	--I-------------
STIPP	--H-------------
STIRB	---MI-----------
STIRN	B---------------
STOB	---OI-----------
STOCH	---NK-----------
STOCK	A-I-------YY----
STOEB	---MI-----------
STOECK	---QIPA---------
STOEFF	-----QA---------
STOEHL	---MH-----------
STOEHN	--I-------------
STOELZ	-----QAQE-------
STOER	--K-------Y-----
STOERCH	-----PA---------
STOESS	---MK-----------
STOFF	A-------------Y-
STOHL	---NH-----------
STOLZ	AE--------------
STORB	---NI-----------
STORCH	A---------------
STOSS	A-K--------Y----
STRAEF	---QH-----------
STRAEFF	---QH--QE-------
STRAEHL	---QIPA---------
STRAEMM	-------QE-------
STRAEND	-----PA---------
STRAENG	-----PA---------
STRAEUB	--K-------------
STRAEUCH	-----PA---------
STRAEUSS	-----PA---------
STRAF	--H--------Y-Y--
STRAFF	-EH-------------
STRAHL	A-I-------YY----
STRAMM	-E--------------
STRAND	A-I-------Y-----
STRANG	A---------------

STRAUCH	A---------------
STRAUSS	A---------------
STREB	--I-------YY----
STREICH	A-K-------YY----
STREIF	--K------Y-Y----
STREIK	A-I-------------
STREIT	A-I--------Y-Y--
STRENG	-EH-------------
STREU	B-K-------YY----
STREUN	--I-------------
STRICH	A--OK-----------
STRICK	A-H------Y-Y----
STRIEZ	--H-------------
STRITT	---OI-----------
STROEH	-----QC---------
STROELCH	---QIPA---------
STROEM	--I--PA---YY----
STROETZ	---QI-----------
STROH	C---------------
STROLCH	A-I-------------
STROM	A---------------
STROTZ	--I-------------
STRUEMPF	-----PA---------
STRUENK	-----PA---------
STRUMPF	A---------------
STRUNK	A---------------
STUECK	C-H------Y-Y----
STUEF	---QH-----------
STUEHL	-----PA---------
STUELP	--H-------------
STUEMM	-------QE-------
STUEMPF	-----PA---------
STUEND	---XX-----------
STUENK	-----QA---------
STUER	-------QE-------
STUERB	---MI-----------
STUERM	--K--PA---YY----
STUERZ	--K--PA----Y----
STUETZ	--KQH-----Y-----
STUF	--H-------Y-----
STUHL	A----------Y----
STUMM	-E--------------
STUMPF	AE--------------
STUND	--H-------Y-----
STUNK	A--NI-----------
STUR	-E--------------
STURM	A---------------
STURZ	A---------------
STUTZ	--K-------Y-----
SUCH	--H--------Y----
SUCHT	B---------------
SUD	A-------------Y-
SUECHT	-----PB---------
SUED	A----QA-------Y-
SUEFF	-----QA---------
SUEHL	---QJ-----------
SUEHN	--H-------Y-----
SUELZ	--I-------------
SUEMM	---UK-----------
SUEMPF	---QIPA---------
SUEND	-----QA---------

SUERR ---QI-----------
SUESS -EH-----------Y-
SUFF A---------------
SUHL --J-------------
SUMM --K-------------
SUMPF A-I-------------
SUND A---------------
SUNG ---NH-----------
SUNK ---NI-----------
SURR --I-------------
TACK --I-------------
TAECK ---QI-----------
TAEG ---QIQA---------
TAEL -----PC---------
TAELG ---QHQA---------
TAEND -----QA---------
TAENN -----QA---------
TAENZ ---QIPA---------
TAEPP ---QI-----------
TAERN ---QH-----------
TAEST ---QK-----------
TAET ---MHQB---------
TAEU ---QIQD---------
TAEUB -------QE-------
TAEUCH ---QK-----------
TAEUF ---QH-----------
TAEUG ---QI-----------
TAEUSCH ---QHPA---------
TAG A-I-------YY----
TAL C---------Y-----
TALG A-H-------------
TAN ---NH-----------
TAND A---------------
TANN A---------------
TANZ A-I-------------
TAPP --I-------------
TARN --H-------Y-----
TAST --K--------Y-Y--
TAT B--LH-----------
TAU D-I--------Y----
TAUB -E--------------
TAUCH --K-------------
TAUF --H-------------
TAUG --I-----------YY
TAUSCH A-H-------------
TEER A-H-------Y-----
TEICH A---------------
TEIG A---------------
TEIL D-H------YY-YY--
TEPPICH A---------------
THING C---------------
TIEF CE--------------
TIER C---------------
TIPP --H-------------
TISCH A--------Y------
TOB --I-------------
TOD A---------------
TOEB ---QI-----------
TOED -----QA---------
TOEFF C---------------
TOELL ---QK--QE-------

TOEN	--K--PA---Y-----
TOEPF	-----PA---------
TOER	-----QD---------
TOERF	-----QA---------
TOES	---QI-----------
TOET	--H-------Y-----
TOLL	-EK-------------
TON	A---------YY----
TOPF	A---------------
TOR	D---------------
TORF	A---------------
TOS	--I-------------
TRAB	A-I-------------
TRACHT	B-I--------Y----
TRAEB	---QIQA---------
TRAECHT	---QIQB---------
TRAEF	---MK-----------
TRAEG	---MK-----------
TRAEN	--I--QA----Y----
TRAENK	--HMHPA--YY-----
TRAET	---MK-----------
TRAETSCH	-----QA---------
TRAEU	---QK-----------
TRAEUF	--K-------------
TRAEUM	--K--PA---------
TRAF	---LK-----------
TRAG	--K--------Y-Y--
TRAN	A---------------
TRANK	A--LH-----------
TRAT	---LK-----------
TRATSCH	A---------------
TRAU	--K-------YY--Y-
TRAUM	A---------------
TRAUT	-E--------------
TRECK	A-I-------------
TREFF	A-K--------Y-YY-
TREIB	--K--------Y----
TRENN	--K-------Y--Y--
TRET	--K--------Y----
TREU	-E---------Y--Y-
TRIEB	A--OK-----------
TRIEF	--I--------Y----
TRIEZ	--H-------------
TRIFF	---MK-----------
TRIFT	B-H-------------
TRINK	--H--------Y-Y--
TRITT	A--MK----Y------
TROEFF	---MI-----------
TROEG	---MKPA---------
TROELL	---QKQA---------
TROEPF	---QKQA---------
TROEST	--H--QA---Y---Y-
TROETT	---QIQA---------
TROETZ	---QIQA---------
TROFF	---OI-----------
TROG	A--OH-----------
TROLL	A-K-------------
TROPF	A-K--------Y-Y--
TROST	A---------------
TROTT	A-I-------------
TROTZ	A-I-------------

TRUEB	-EH-------YY----
TRUEG	--HMKQA----Y--Y-
TRUEMPF	---QKPA---------
TRUENK	-----PA---------
TRUETZ	---QI-----------
TRUG	A--LK-----------
TRUMPF	A-K-------------
TRUNK	A--NH-----------
TRUTZ	--I-------------
TSCHILP	--I-------------
TU	---MH------Y--YY
TUEN	--HQH-----------
TUENCH	--H-------------
TUENK	---QK-----------
TUBPF	---QH-----------
TUER	D--------Y------
TUERM	--K--PA----Y----
TUERN	---QI-----------
TUESCH	-----QA---------
TUET	---QI-----------
TUGEND	B---------------
TUN	--H-----------YY
TUNK	--K-------------
TUPF	--H--------Y----
TURM	A---------------
TURN	--I-------------
TUSCH	A---------------
TUT	--I-------------
UEB	--H-------Y-----
UEHR	-----QB---------
UELK	-----QA---------
UER	-----QA---------
UHR	B---------------
UHU	A---------------
ULK	A---------------
UR	A------------Y--
VIECH	C---------------
VIEH	C---------------
VIER	--H-------Y-----
VLIES	C---------------
VOELK	-----PC---------
VOELL	-------QE-------
VOLK	C-------------Y-
VOLL	-E--------------
WACH	-EI--------Y----
WACHS	C-K--------Y----
WACHT	B---------------
WAECH	---QI--QE-------
WAECHS	---XKQC---------
WAECHT	-----QB---------
WAEG	--HQH-----Y--Y--
WAEHL	--H--QB------Y--
WAEHN	--H--PA---------
WAEHR	--IQH--QE-Y-----
WAEL	-----QD---------
WAELD	-----PA---------
WAELK	---QH-----------
WAELL	---QIPA---------
WAELT	---QI-----------
WAELZ	--HQH-----------
WAEMS	-----PD---------

WAEND	---MKPD---------
WAENK	---QI-----------
WAENST	-----PA---------
WAERFT	-----QB---------
WAERM	--H----PE-------
WAESCH	---QH-----------
WAESCH	---MH-----------
WAET	---QI-----------
WAETT	-----QC---------
WAG	--H-------------
WAHL	B---------------
WAHN	A---------------
WAHR	-EH-------YY----
WAL	D---------------
WALD	A---------YY----
WALK	--H-------------
WALL	A-I-------Y-----
WALT	--I-------------
WALZ	--H-------------
WAMS	D---------------
WAND	D---------Y-----
WANDT	---OK-----------
WANK	--I-------------
WANST	A---------------
WARB	---LK-----------
WARD	---LI-----------
WARF	---LK-----------
WARFT	B---------------
WARM	-E--------------
WASCH	--H-------Y-----
WAT	--I-------------
WATT	C---------------
WEB	--K-------------
WECK	--H-------------
WEG	A----------Y----
WEH	C----------Y----
WEHR	D-K--------Y-Y--
WEIB	C-K------Y-Y--YY
WEICH	-EK-----------Y-
WEID	--H-----------Y-
WEIN	A-I--------Y----
WEIS	--H-------YY--Y-
WEISS	-EHMH-----YY--Y-
WEIT	-EH-------Y-----
WELK	-EI-------------
WEUS	A---------------
WELSCH	-E--------------
WELT	B-------------Y-
WEND	--K-------YY----
WERB	--K-------YY--Y-
WERD	--I-------------
WERF	--K--------Y----
WERFT	B---------------
WERG	C---------------
WERK	C-H-----------Y-
WERT	AEH-------YY----
WES	--I-------------
WETT	--H-------------
WICH	---OK-----------
WICHT	A---------------
WIEG	--K-------------

WIES	---OH------------
WILD	CE---------------
WILL	---MH--------Y---
WIMM	--H--------------
WIND	A-K-------YYY----
WIPP	--K-------Y------
WIRB	---MK------------
WIRD	---MI------------
WIRF	---MK------------
WIRR	-E---------Y-----
WIRSCH	-E---------------
WISCH	--K--------------
WISS	--H--------------
WITZ	A----------------
WOB	---OK------------
WOEB	---MK------------
WOEG	---XK------------
WOEHL	-----QC----------
WOEHN	---QI------------
WOELB	--H--------Y-----
WOELF	-----PA----------
WOELL	---QH------------
WOERT	---QHPC----------
WOG	--IOK------------
WOHL	C----------------
WOHN	--I--------YY--YY
WOLF	A----------------
WOLL	--H--------------
WORB	---NK------------
WORD	---NI------------
WORF	---NK------------
WORT	C-H--------------
WRACK	C----------------
WRAECK	-----QC----------
WRAENG	---MH------------
WRANG	---LH------------
WRING	--H--------------
WRUNG	---NH------------
WUCHS	A--LK------------
WUCHT	B-K--------------
WUECHS	---MKPA----------
WUECHT	---QKQB----------
WUEHL	--I--------------
WUELST	-----PA----------
WUEND	-------QE--------
WUENSCH	--H--PA-------Y--
WUERB	---MK------------
WUERD	---MI------------
WUERF	---MKPA----------
WUERG	--H--------------
WUERM	---QKPA----------
WUERST	---QIPB----------
WUERZ	--H--------------
WUESCH	---MH------------
WUESST	---MH------------
WUEST	-EI--QA---Y------
WUET	--I--QB----------
WULST	A----------------
WUND	-E---------------
WUNSCH	A----------------
WURD	---LI------------

```
WURF     A---------------
WURM     A-K-------------
WURST    B-I-------------
WUSCH    ---LH-----------
WUSST    ---OH-----------
WUST     A---------------
WUT      B---------------
ZAEG     ---QI-----------
ZAEH     -E--------------
ZAEHL    --KQKQB------Y--
ZAEHM    --H----QE--Y----
ZAEHN    ---QIPA--Y-Y----
ZAENK    ---QIPA---------
ZAEPF    ---QH-----------
ZAERT    -------QE-------
ZAEUM    --H--PA---------
ZAEUN    --H--PA----Y----
ZAEUS    ---QH-----------
ZAG      --I-------------
ZAHL     B-K-------YY-Y--
ZAHM     -E--------------
ZAHN     A-I-------Y-----
ZANK     A-I-------------
ZAPF     --H-------------
ZART     -E--------------
ZAUM     A---------------
ZAUN     A---------------
ZAUS     --H-------------
ZECH     --I-------------
ZEH      A---------------
ZEHR     --I-------Y-----
ZEIG     --K--------Y----
ZEIH     --H--------Y----
ZEIT     B---------Y---Y-
ZELT     C-I------Y------
ZEUG     C-K-------YY----
ZIEH     --KUH-----YY----
ZIEL     C-I--------Y----
ZIEM     --K-----------YY
ZIEP     --H-------------
ZIER     B-K-----------YY
ZINK     D-H-------------
ZINN     C---------------
ZIRP     --I-------------
ZOEG     ---MK-----------
ZOELL    -----PA---------
ZOEPF    -----PA---------
ZOERN    -----QA---------
ZOG      ---OK-----------
ZOLL     A-----------Y--
ZOPF     A---------------
ZORN     A---------------
ZUCHT    B---------------
ZUECHT   --H--PB---Y-----
ZUECK    --K-------Y-----
ZUEG     -----PA---------
ZUEND    --K-------Y--Y--
ZUENFT   -----PR---------
ZUEPF    ---QH-----------
ZUERN    --I-------------
ZUG      A---------------
```

ZUNFT	B---------------
ZUPF	--H-------------
ZWACK	--H-------------
ZWAECK	---QH-----------
ZWAENG	--HMHPA---------
ZWANG	A---------------
ZWECK	A----------Y----
ZWEIG	A---------------
ZWERG	A---------------
ZWICK	--H-------------
ZWING	--H--------Y----
ZWIRN	A-H-------------
ZWIST	A---------------
ZWUNG	---NH-----------

LISTE 2 ALLOMORPHKLASSEN MIT BELEGUNG

```
-----PAQE      000001
-----PBPE      000001
-----QBQE      000001
---MHPD--      000001
---MHQA--      000001
---MHQB--      000001
---MHQD--      000001
---MIPD--      000001
---MIQA--      000001
---MKPD--      000001
---QI----      000001
---QIQD--      000001
---QK--PE      000001
---QKQC--      000001
---QKQH--      000001
---XK----      000001
---XK--QE      000001
---XKQC--      000001
---XXPA--      000001
--H--QAQE      000001
--H--QC--      000001
--HLK----      000001
--HMH----      000001
--HMIPC--      000001
--HMK----      000001
--HMKQA--      000001
--HQHPA--      000001
--HQHQC--      000001
--HQI----      000001
--HQI--PE      000001
--HQI--QE      000001
--HQIQA--      000001
--HQIQB--      000001
--HQIQCQE      000001
--HQKPA--      000001
--HQKQB--      000001
--HQKQE--      000001
--I----PE      000001
--I--QA--      000001
--I--QB--      000001
--ILI----      000001
--INK----      000001
--IOK----      000001
--IQH--QE      000001
--IQI----      000001
--IQIPA--      000001
--IQIPD--      000001
--IQIQD--      000001
--IQKQA--      000001
--J--PB--      000001
--J--QB--      000001
--J--QC--      000001
--JNK----      000001
--K----PE      000001
--K--PB--      000001
--K--PC--      000001
--K--PD--      000001
--KLH----      000001
--KLK----      000001
--KMIQA--      000001
--KMK----      000001
```

LISTE 2 ALLOMORPHKLASSEN MIT BELEGUNG 2

--KNI----	000001
--KOH----	000001
--KQH----	000001
--KQH--QE	000001
--KQI--PE	000001
--KQIPA--	000001
--KQIPC--	000001
--KQK--PE	000001
--KQKPA--	000001
--KQKQB--	000001
-E-LK----	000001
-E-XK----	000001
-EHMH----	000001
-EHQH----	000001
-EHQI----	000001
-EI--QA--	000001
A------QE	000001
A----QA--	000001
A--MK----	000001
A--NH----	000001
A-INK----	000001
A-IOK----	000001
A-J------	000001
AEH------	000001
AEI------	000001
B----QC--	000001
B--LH----	000001
BEK------	000001
C----QC--	000001
C--OH----	000001
C--OI----	000001
C-J------	000001
CEH------	000001
D--LH----	000001
D--NH----	000001
D--OK----	000001
-----QAPE	000002
---MHPC--	000002
---MIPA--	000002
---QHQD--	000002
---QI--PE	000002
---QIPB--	000002
---QJ----	000002
---QK--QE	000002
---QKPD--	000002
--H--PB--	000002
--H--PC--	000002
--H--QB--	000002
--HQIPA--	000002
--IQIQA--	000002
--IQK----	000002
--J--QA--	000002
--K--QA--	000002
--KQIQA--	000002
A--OH----	000002
BE-------	000002
CEI------	000002
---MKQA--	000003
---QH--QE	000003
---QHPC--	000003
---QHPD--	000003

```
---QIQB--       000003
---QKPC--       000003
--HMHPA--       000003
--HQH----       000003
--KQHQA--       000003
A--LI----       000003
A--NI----       000003
A--NK----       000003
A--OI----       000003
-----QAQE       000004
---MHPA--       000004
---QHQA--       000004
---QHQC--       000004
---QIPC--       000004
---QIQC--       000004
---XX----       000004
--I--PA--       000004
--K----QE       000004
--K--QB--       000004
CEK------       000004
D-I------       000004
--H--QA--       000005
A--LH----       000005
A--LK----       000005
D-K------       000005
-----PD--       000006
---QHQB--       000006
---QI--QE       000006
---QKQB--       000006
--H----PE       000006
--H----QE       000006
--J------       000006
B-I------       000007
CE-------       000007
D-H------       000007
---QKPA--       000008
---LH----       000009
---MKPA--       000009
---NH----       000009
---NK----       000009
---QHPA--       000010
--H--PA--       000010
--K--PA--       000010
AE-------       000010
-------PE       000011
---NI----       000012
-EK------       000012
B-K------       000012
-----PC--       000013
-----QD--       000013
A--OK----       000013
---QHQA--       000014
C-I------       000014
---LI----       000015
B-H------       000015
-FI------       000016
C-K------       000016
---OH----       000018
---OI----       000018
C-H------       000018
-----QB--       000021
```

LISTE 2 ALLOMORPHKLASSEN MIT BELEGUNG 4

-----QC--	000023
-EH------	000023
---QKQA--	000025
-----PB--	000027
---QIPA--	000028
---QIQA--	000029
---MH----	000030
---OK----	000030
---MI----	000031
D--------	000032
---LK----	000033
---QK----	000037
-------QE	000043
---QH----	000056
---MK----	000060
A-H------	000063
A-K------	000068
---QI----	000076
B--------	000081
-----PA--	000084
-----QA--	000085
A-I------	000092
C--------	000092
-E-------	000122
--K------	000168
--I------	000193
--H------	000196
A--------	000290

LISTE 3 /...-CHEN/ ANZAHL 87 1

ALT	CHEN	-E-------YY-----
BAER	CHEN	A------QEY------
BILD	CHEN	C-K------YY---YY
BISS	CHEN	A--QK----Y------
BLOECK	CHEN	---QHPA--Y------
BOET	CHEN	---MHQD--Y------
BRAET	CHEN	---MK----Y------
BRETT	CHEN	C--------Y------
BRUEST	CHEN	--J--PB--YY-----
BUERST	CHEN	--H------Y------
END	CHEN	--K------YY-Y-YY
ESEL	CHEN	A--------Y------
FELL	CHEN	C-H------Y------
FISCH	CHEN	A-H------YY-----
FROESCH	CHEN	-----PA--Y------
GEHL	CHEN	-E-------Y------
GEIST	CHEN	A--------Y----Y-
GLAES	CHEN	---QIPC--Y------
GOLD	CHEN	C--------Y------
GRAU	CHEN	-EI------Y-Y----
GUET	CHEN	-----PAQEYY---Y-
HAEUF	CHEN	--H------YY-----
HAEUT	CHEN	---QH----YY-----
HAEUT	CHEN	--K--PB--YY-----
HEIM	CHEN	C--------Y----YY
HEMD	CHEN	C--------Y------
HOERN	CHEN	-----PC--Y------
HUELL	CHEN	--H------Y------
HUET	CHEN	--K--PD--YY-----
KAEMM	CHEN	--H--PA--Y------
KEIL	CHEN	A-H------Y------
KERL	CHEN	A--------Y------
KETT	CHEN	--K------YY-----
KLAEU	CHEN	---QK----Y------
KLEID	CHEN	C-K------YYY----
KLEIN	CHEN	-E-------Y----Y-
KLUEFT	CHEN	-----PB--Y------
KOEPF	CHEN	--K--PA--Y------
KRAENZ	CHEN	--H------Y-Y----
LAEND	CHEN	--KQIPC--Y----Y-
LEIB	CHEN	A--------YY---Y-
LICHT	CHEN	CE-------YYY----
LIEB	CHEN	-EH------Y-Y--Y-
LIED	CHEN	C--------Y------
LUEFT	CHEN	--H--PB--YY-----
MAER	CHEN	B----QC--Y------
MERK	CHEN	--K------Y-Y-YYY
MOEPS	CHEN	---QKPA--Y------
MUEND	CHEN	--IQIPD--YY---Y-
NEST	CHEN	C--------Y------
OEHR	CHEN	C----QC--Y------
PLAETT	CHEN	--K----QEY------
QUELL	CHEN	A-K------YY-----
REIS	CHEN	A--------Y-Y----
RINN	CHEN	--I------Y------
RITZ	CHEN	--H------Y------
ROEHR	CHEN	--K--PC--Y------
SAECK	CHEN	-----PA--Y------
SCHAETZ	CHEN	-----PA--YYY-Y--
SCHEIT	CHEN	A--------Y------
SCHIFF	CHEN	C-I------Y-Y-Y--

LISTE 3 /...-CHEN/ ANZAHL 87 2

SCHILD	CHEN	D--------Y------
SCHIPP	CHEN	--H------Y------
SCHMERZ	CHEN	A-K------Y----Y-
SCHNITT	CHEN	---OK----Y------
SCHNUER	CHEN	-----PB--YYY----
SCHOEPF	CHEN	-----PA--YY-----
SCHRAENK	CHEN	--H------Y-Y----
SCHWAEMM	CHEN	---MIPA--Y------
SCHWAENZ	CHEN	--K--PA--Y------
SPUER	CHEN	--HQIQB--Y------
STAEUB	CHEN	--KQKPA--Y-Y----
STERN	CHEN	A--------Y------
STIMM	CHEN	--K------YYY--Y-
STREIF	CHEN	--K------Y-Y----
STRICK	CHEN	A-H------Y-Y----
STUECK	CHEN	C-H------Y-Y----
TEIL	CHEN	D-H------YY-YY--
TISCH	CHEN	A--------Y------
TRAENK	CHEN	--HMHPA--YY-----
TRITT	CHEN	A--MK----Y------
TUER	CHEN	D--------Y------
WEIB	CHEN	C-K------Y-Y--YY
WIND	CHEN	A-K------YYY----
WIPP	CHEN	--K------Y------
ZAEHN	CHEN	---QIPA--Y-Y----
ZELT	CHEN	C-I------Y------

LISTE 4 /...-UNG/ ANZAHL 313 1

```
ACHT     UNG     B-K-------Y--Y--
AECHT    UNG     --HQKQB---Y-----
AES      UNG     --H--PC---Y-----
AEST     UNG     -----PA---Y-----
AETZ     UNG     --K-------Y--Y--
AHN      UNG     --K-------Y--Y--
ALT      UNG     -E-------YY-----
ART      UNG     B-K-------Y--Y--
BAEH     UNG     --K-------Y-----
BAHN     UNG     B-H-------Y-----
BALL     UNG     A---------Y-----
BANK     UNG     B---------Y-----
BAUCH    UNG     A---------Y-----
BEB      UNG     --I-------Y-----
BERG     UNG     A-K-------Y-----
BETT     UNG     C-K-------Y-----
BIEG     UNG     --K-------Y-----
BILD     UNG     C-K------YY---YY
BIND     UNG     --H-------Y-----
BLAEH    UNG     --K-------Y-----
BLATT    UNG     C---------Y-----
BLEND    UNG     --H-------Y-----
BLOCK    UNG     A-H-------Y-----
BLUT     UNG     C-I-------Y-----
BOHR     UNG     --K-------Y-----
BRAEUN   UNG     --K----QE-Y---Y-
BRAND    UNG     D---------Y-----
BRECH    UNG     --K-------Y--Y--
BRUEST   UNG     --J--PB--YY-----
BUCH     UNG     C-H-------Y-----
DACH     UNG     C---------YY----
DAEMPF   UNG     --HQKPA---Y-----
DECK     UNG     C-K-------YY----
DEHN     UNG     --K-------Y--Y--
DICHT    UNG     -EK-------Y-----
DICK     UNG     -E--------Y---Y-
DING     UNG     C-K-------YY--Y-
DRAHT    UNG     A-H-------Y---Y-
DREH     UNG     A-K-------Y-----
DRILL    UNG     A-H-------Y-----
DROH     UNG     --I-------YY----
DUEN     UNG     --J-------Y-----
DUENG    UNG     --H--QA---Y-----
DUENN    UNG     -E--------Y---Y-
DUERR    UNG     -EH-------Y-----
DULD     UNG     --K-------Y--Y--
EHR      UNG     --H-------YY--YY
EICH     UNG     --H-------Y-----
EIN      UNG     --H-------Y-----
END      UNG     --K------YY-Y-YY
ERD      UNG     --H-------Y-Y-Y-
FAELL    UNG     ---MIPD---Y-----
FAELSCH  UNG     --H----QE-Y---Y-
FAERB    UNG     --K-------Y-----
FALT     UNG     --H-------Y-----
FASS     UNG     C-K-------YY-YY-
FEIN     UNG     -EH-------Y-----
FEST     UNG     CE--------YYY-Y-
FIND     UNG     --K-------YY----
FISCH    UNG     A-H------YY-----
FORSCH   UNG     -EI-------Y-----
```

FRIST	UNG	B-H-------YY----
FROEN	UNG	--IQIQD---Y-----
FUEG	UNG	--KQHQA---Y---Y-
FUEHL	UNG	--K-------YY-Y--
FUEHR	UNG	--KMK-----Y-----
FUELL	UNG	--K-------Y-----
FURCH	UNG	--H-------Y-----
GAER	UNG	--KQH--QE-Y-----
GAST	UNG	A---------Y---Y-
GEIL	UNG	-EK-------Y-----
GELT	UNG	--K-------Y-----
GERB	UNG	--H-------Y-----
GLEICH	UNG	-EK-------YY----
GLEIT	UNG	--I-------YY----
GRAB	UNG	C-H-------YY----
GRAS	UNG	C-H-------YY----
GRUEND	UNG	--H--PA---Y---YY
GUET	UNG	-----PAQEYY---Y-
GURT	UNG	A-H-------Y-----
HAELFT	UNG	--H-------Y-----
HAERT	UNG	--H----PE-YY----
HAEUF	UNG	--H------YY-----
HAEUT	UNG	---QH----YY-----
HAEUT	UNG	--K--PB--YY-----
HAFT	UNG	D-H-------YY-Y--
HALB	UNG	-E--------Y-----
HALS	UNG	A---------Y-----
HALT	UNG	A-K-------YY-Y--
HART	UNG	-E--------Y-----
HAUS	UNG	C-K-------YY----
HEB	UNG	--K-------YY----
HEFT	UNG	C-H-------Y-----
HEIL	UNG	CEK-------Y--Y--
HEIZ	UNG	--K-------YY-Y--
HEMM	UNG	--H-------Y-----
HOEHL	UNG	-------QE-Y-----
HOLZ	UNG	C---------YY----
HORN	UNG	C---------Y-----
HORT	UNG	A-H-------Y-----
HUET	UNG	--K--PD--YY-----
HUT	UNG	D---------Y-----
IMPF	UNG	--H-------Y-----
KAPP	UNG	--H-------Y-----
KEIM	UNG	A-I-------YY----
KENN	UNG	--H-------YY-Y--
KETT	UNG	--K------YY-----
KLAER	UNG	--H----QE-Y---Y-
KLEID	UNG	C-K------YYY----
KNECHT	UNG	A-H-------Y---Y-
KNICK	UNG	A-H-------Y-----
KNOSP	UNG	--I-------Y-----
KNUEPF	UNG	--K-------Y-----
KOER	UNG	--HMH-----Y-----
KOERN	UNG	-----PD---Y-----
KRAENK	UNG	--KQI--PE-Y---Y-
KREUZ	UNG	C-K-------YYY---
KROEN	UNG	--H-------YY----
KROEPF	UNG	-----PA---Y-----
KRUEMM	UNG	--K----QE-Y-----
KUEHL	UNG	-EH-------Y-----
KUERZ	UNG	--H----PE-Y-----

LISTE 4 /...-UNG/ ANZAHL 313 3

LAB UNG --K-------Y-----
LAD UNG --H-------YY----
LAEHM UNG --H----QE-Y-----
LAEHM UNG --HQI--QE-Y-----
LAIB UNG A---------Y-----
LAND UNG C-K-------Y-----
LASCH UNG -E--------Y-----
LAUT UNG A-I-------Y--Y--
LEER UNG -EH-------Y-----
LEG UNG --KNI-----YY----
LEIB UNG A--------YY---Y-
LENK UNG --H-------Y--Y--
LES UNG --K-------YY-Y--
LICHT UNG CE-------YYY----
LOEHN UNG --HQHPA---Y-----
LOES UNG --HQIQCQE-Y---Y-
LOET UNG --H--QC---Y-----
LUEFT UNG --H--PB--YY-----
MAEST UNG --K-------Y-----
MAHN UNG --H-------Y-----
MARK UNG D---------Y-----
MEHR UNG --H-------Y-----
MELD UNG --K-------Y-----
MENG UNG --K-------YY----
MESS UNG --K-------YY-Y--
MISCH UNG --K-------Y--Y--
MUEND UNG --IQIPD--YY---Y-
MUT UNG A---------Y-----
NEIG UNG --H-------Y-----
NENN UNG --K-------YY-Y--
OEL UNG C-H-------Y-----
ORT UNG D-H-------Y-----
OST UNG A---------Y-----
PAAR UNG C-K-------Y-----
PACHT UNG B-H-------Y-----
PACK UNG C-H-------YY----
PASS UNG A-I-------Y-----
PEIL UNG --H-------Y-----
PEITSCH UNG --H-------Y-----
PFAEHL UNG -----PA---Y-----
PFAEND UNG --H--PC---Y--Y--
PFLANZ UNG --H-------YY--Y-
PLAN UNG A-H-------Y-----
PRAEG UNG --H-------Y-----
PRUEF UNG --H-------Y-----
QUELL UNG A-K------YY-----
QUETSCH UNG --H-------Y-----
RAEUM UNG --H--PA---Y---Y-
RAEUM UNG ---QI-----Y---Y-
RAFF UNG --H-------Y-----
RAIN UNG A---------Y-----
RAUH UNG -E--------Y-----
REG UNG --K-------Y-----
REICH UNG CEK-------Y---Y-
REIH UNG --K-------Y-----
REIZ UNG A-H-------Y--Y--
RENK UNG --H-------Y-----
RETT UNG --H-------Y-----
RICHT UNG --K-------YYY---
ROD UNG --H-------Y-----
ROEST UNG --HQIQA---Y-----

LISTE 4 /...-UNG/ ANZAHL 313 4

ROET UNG	--H----PE-Y---Y-
RUEHR UNG	--K--QB---YY-Y--
RUEST UNG	--H-------YY----
RUND UNG	CE--------Y---Y-
SCHAECHTUNG	-----PA---Y-----
SCHAEFT UNG	-----PA---Y-----
SCHAEL UNG	--K----QE-YY----
SCHAEND UNG	--H-------Y---Y-
SCHAETZ UNG	-----PA--YYY-Y--
SCHAFF UNG	--K-------YY--Y-
SCHAL UNG	-E--------YY----
SCHALT UNG	--KLH-----Y-----
SCHAR UNG	B-K-------Y-----
SCHATZ UNG	A---------Y-----
SCHAU UNG	B-K-------YY-Y--
SCHECK UNG	--H-------Y-----
SCHEID UNG	--K-------Y-----
SCHENK UNG	A-H-------YY----
SCHER UNG	--K-------YY----
SCHICHT UNG	B-K-------Y-----
SCHICK UNG	-EK-------YY--YY
SCHIEB UNG	--H-------Y-----
SCHIRM UNG	A-H-------YY----
SCHLACHTUNG	B-H-------Y-----
SCHLEIF UNG	--K-------Y-----
SCHLICHTUNG	-EH-------Y-----
SCHLIESSUNG	--H-------YY-YY-
SCHMELZ UNG	A-K-------Y--Y--
SCHMIED UNG	A-H-------Y--Y--
SCHMUECKUNG	--H--QAQE-Y-----
SCHNUER UNG	-----PB--YYY----
SCHOEN UNG	-EHQH-----YY----
SCHOEPF UNG	-----PA--YY-----
SCHON UNG	--H-------Y-----
SCHRAEG UNG	-EHQI-----Y-----
SCHREIB UNG	--K-------YY----
SCHREIT UNG	--I-------YY----
SCHUERF UNG	--K-------Y-----
SCHUERZ UNG	--H-------Y-----
SCHUETT UNG	-----QA---YY----
SCHWAECHUNG	--H----PE-Y---Y-
SCHWAERZUNG	--H----PE-Y---Y-
SCHWANK UNG	A-I-------Y-----
SCHWEB UNG	--I-------Y-----
SCHWEISSUNG	A-K-------YY----
SCHWEL UNG	--K-------Y-----
SCHWELL UNG	--K-------Y-----
SCHWENK UNG	--K-------Y-----
SCHWIND UNG	--I-------Y-----
SCHWING UNG	--K-------YY----
SEND UNG	--H-------YY----
SENK UNG	--K-------Y-----
SICHT UNG	B-H-------Y-YYY-
SITZ UNG	A-I-------YY----
SPALT UNG	A-K-------Y-----
SPANN UNG	--KLK-----YY----
SPEIS UNG	B-H-------Y-----
SPEND UNG	--H-------Y-----
SPERR UNG	--H-------Y-----
SPREIZ UNG	--K-------Y-----
SPRENG UNG	--K-------YY----

LISTE 4 /...-UNG/ ANZAHL 313 5

```
SPROSS  UNG   A-IOK------YY----
SPUEL   UNG   --KQIQA---YY----
SPUND   UNG   A-H--------Y-----
STAK    UNG   --HLK------Y-----
STALL   UNG   A----------YY----
STAU    UNG   A-K--------Y-----
STEIF   UNG   -EH--------YY----
STEIG   UNG   A-I--------YY----
STEIL   UNG   -E---------Y-----
STELL   UNG   --K--------YY----
STIFT   UNG   D-K--------Y-----
STILL   UNG   -EH--------Y-----
STIMM   UNG   --K-------YYY--Y-
STOCK   UNG   A-I--------YY----
STOER   UNG   --K--------Y-----
STRAHL  UNG   A-I--------YY----
STRAND  UNG   A-I--------Y-----
STREB   UNG   --I--------YY----
STREICH UNG   A-K--------YY----
STREU   UNG   B-K--------YY----
STROEM  UNG   --I--PA----YY----
STUERM  UNG   --K--PA----YY----
STUETZ  UNG   --KQH------Y-----
STUF    UNG   --H--------Y-----
STUND   UNG   --H--------Y-----
STUTZ   UNG   --K--------Y-----
SUEHN   UNG   --H--------Y-----
TAG     UNG   A-I--------YY----
TAL     UNG   C----------Y-----
TARN    UNG   --H--------Y-----
TEER    UNG   A-H--------Y-----
TEIL    UNG   D-H-------YY-YY--
TOEN    UNG   --K--PA----Y-----
TOET    UNG   --H--------Y-----
TON     UNG   A----------YY----
TRAENK  UNG   --HMHPA---YY-----
TRAU    UNG   --K--------YY--Y-
TRENN   UNG   --K--------Y--Y--
TROEST  UNG   --H--QA----Y---Y-
TRUEB   UNG   -EH--------YY----
UEB     UNG   --H--------Y-----
VIER    UNG   --H--------Y-----
WAEG    UNG   --HQH------Y--Y--
WAEHR   UNG   --IQH--QE-Y------
WAHR    UNG   -EH--------YY----
WALD    UNG   A----------YY----
WALL    UNG   A-I--------Y-----
WAND    UNG   D----------Y-----
WASCH   UNG   --H--------Y-----
WEIS    UNG   --H--------YY--Y-
WEISS   UNG   -EHMH------YY--Y-
WEIT    UNG   -EH--------Y-----
WEND    UNG   --K--------YY----
WERB    UNG   --K--------YY--Y-
WERT    UNG   AEH--------YY----
WIND    UNG   A-K-------YYY----
WIRR    UNG   -E---------Y-----
WOELB   UNG   --H--------Y-----
WOHN    UNG   --I--------YY--YY
WUEST   UNG   -EI--QA----Y-----
ZAHL    UNG   B-K--------YY-Y--
```

LISTE 4 /...-UNG/ ANZAHL 313 6

ZAHN	UNG	A-I--------Y-----
ZEHR	UNG	--I--------Y-----
ZEIT	UNG	B----------Y---Y-
ZEUG	UNG	C-K--------YY----
ZIEH	UNG	--KOH------YY----
ZUECHT	UNG	--H--PB----Y-----
ZUECK	UNG	--K--------Y-----
ZUEND	UNG	--K--------Y--Y--

LISTE 5 /BE-...-EN/ ANZAHL 347 1

BE	AMT	EN	C----------Y--Y-
BE	BLECH	EN	C-H--------Y----
BE	BLEI	EN	D-K--------Y----
BE	BORT	EN	C----------Y----
BE	BRUET	EN	--K--QB----Y----
BE	BUSCH	EN	A----------Y----
BE	DACH	EN	C---------YY----
BE	DANK	EN	A-K--------Y-Y--
BE	DECK	EN	C-K-------YY----
BE	DEICH	EN	A-K--------Y----
BE	DENK	EN	--H--------Y--YY
BE	DIEN	EN	--I--------Y--Y-
BE	DING	EN	C-K-------YY--Y-
BE	DORN	EN	A----------Y----
BE	DRAENG	EN	--KMIQA----Y----
BE	DRAEU	EN	--I--------Y----
BE	DROH	EN	--I-------YY----
BE	DRUCK	EN	A-H--------Y----
BE	DRUECK	EN	--KQHQA----Y----
BE	DUENK	EN	--K--------Y----
BE	EHR	EN	--H-------YY--YY
BE	ENG	EN	-EH--------Y----
BE	ERB	EN	--H--------Y--Y-
BE	FAHR	EN	--K--------Y-Y--
BE	FALL	EN	D-I--------Y----
BE	FANG	EN	A-H--------Y----
BE	FASS	EN	C-K-------YY-YY-
BE	FEIND	EN	A----------Y--Y-
BE	FEST	EN	CE--------YYY-Y-
BE	FEUCHT	EN	-E---------Y--Y-
BE	FIND	EN	--K-------YY----
BE	FIRST	EN	A----------Y----
BE	FLECK	EN	A----------Y----
BE	FLEISS	EN	A----------YY---
BE	FLICK	EN	--H--------Y----
BE	FLIEG	EN	--K--------Y----
BE	FLIESS	EN	--I--------Y----
BE	FLUT	EN	B-K--------Y----
BE	FOLG	EN	--I--------Y----
BE	FORST	EN	A----------Y--Y-
BE	FRACHT	EN	B----------Y-Y--
BE	FRAG	EN	--H--------Y--YY
BE	FREI	EN	-EH--------Y----
BE	FREMD	EN	-EI--------Y----
BE	FREUND	EN	A----------Y--YY
BE	FRIST	EN	B-H-------YY----
BE	FRUCHT	EN	B-I--------Y-Y--
BE	FUEHL	EN	--K-------YY-Y--
BE	FUG	EN	A-H--------Y----
BE	GAB	EN	---LK------Y----
BE	GAFF	EN	--I--------Y----
BE	GEB	EN	--K--------Y----
BE	GEH	EN	--I--------Y-Y--
BE	GICHT	EN	B----------Y----
BE	GIESS	EN	--K--------Y----
BE	GLAS	EN	C-I--------Y----
BE	GLEICH	EN	-EK-------YY----
BE	GLEIT	EN	--I-------YY----
BE	GLOTZ	EN	--I--------Y----
BE	GLUECK	EN	C-I--------Y--YY
BE	GRAB	EN	C-H-------YY----

LISTE 5 /BE-...-EN/ ANZAHL 347 2

BE	GRAS	EN	C-H--------YY----
BE	GRAU	EN	-EI-------Y-Y----
BE	GREIF	EN	A-H---------Y-YY-
BE	GRENZ	EN	--I---------Y----
BE	GRUEN	EN	-EI---------Y--Y-
BE	GRUESS	EN	--H--PA-----Y----
BE	GUCK	EN	--I---------Y----
BE	HAAR	EN	C-----------Y----
BE	HAB	EN	C-I---------Y--Y-
BE	HACK	EN	A-K---------Y----
BE	HAENG	EN	--KQIPA-----Y----
BE	HAERT	EN	--H----PE--YY----
BE	HAFT	EN	D-H--------YY-Y--
BE	HALT	EN	A-K--------YY-Y--
BE	HARK	EN	--H---------Y----
BE	HARR	EN	--I---------Y----
BE	HAU	EN	A-K---------Y-Y--
BE	HAUCH	EN	A-I---------Y----
BE	HAUPT	EN	C-----------Y----
BE	HAUS	EN	C-K--------YY----
BE	HEB	EN	--K--------YY----
BE	HEIZ	EN	--K--------YY-Y--
BE	HELF	EN	--I---------Y----
BE	HELM	EN	D-----------Y----
BE	HOER	EN	--H---------Y-Y--
BE	HOLZ	EN	C----------YY----
BE	HORCH	EN	--I---------Y----
BE	KAEMPF	EN	--I--PA-----Y----
BE	KEHR	EN	--H---------Y----
BE	KEIM	EN	A-I--------YY----
BE	KENN	EN	--H--------YY-Y--
BE	KIEL	EN	A-----------Y----
BE	KIES	EN	A-H---------Y----
BE	KLAG	EN	--I---------Y-Y--
BE	KLATSCH	EN	A-K---------Y----
BE	KLEB	EN	--K---------Y----
BE	KLEID	EN	C-K-------YYY----
BE	KLEMM	EN	--K---------Y----
BE	KLOTZ	EN	A-K---------Y----
BE	KNIFF	EN	A--OK-------Y----
BE	KOCH	EN	D-K---------Y----
BE	KOMM	EN	--I---------Y----
BE	KRAENZ	EN	--H-------Y-Y----
BE	KREUZ	EN	C-K--------YYY---
BE	KRIEG	EN	A-K---------Y----
BE	KROEN	EN	--H--------YY----
BE	KUND	EN	-E----------Y-Y--
BE	LAD	EN	--H--------YY----
BE	LANG	EN	-EK---------Y----
BE	LASS	EN	--K---------Y----
BE	LAST	EN	B-K---------Y-Y--
BE	LAUB	EN	C-----------Y----
BE	LAUF	EN	A-K---------Y----
BE	LAUSCH	EN	--I---------Y----
BE	LECK	EN	CEK---------Y----
BE	LEG	EN	--KNI------YY----
BE	LEHR	EN	--H---------Y----
BE	LEIH	EN	--H---------Y----
BE	LERN	EN	--H---------Y-Y--
BE	LES	EN	--K--------YY-Y--
BE	LICHT	EN	CE--------YYY----

LISTE 5 /BE-...-EN/ ANZAHL 347 3

BE	LIEB	EN	-EH-------Y-Y--Y-
BE	LIST	EN	B-----------Y----
BE	LOHN	EN	A-H---------Y----
BE	LUCHS	EN	A-I---------Y----
BE	LUEG	EN	--IQIQA-----Y----
BE	LUTSCH	EN	--H---------Y----
BE	MACH	EN	--H---------Y----
BE	MAL	EN	C-H---------Y-Y--
BE	MANN	EN	A-----------Y-Y--
BE	MENG	EN	--K--------YY----
BE	MERK	EN	--K-------Y-Y-YYY
BE	MESS	EN	--K--------YY-Y--
BE	MOOS	EN	C-----------Y----
BE	MUEH	EN	--J---------Y----
BE	NAESS	EN	--K-----PE--Y--Y-
BE	NAG	EN	--H---------Y----
BE	NASCH	EN	--H---------Y----
BE	NEHM	EN	--H---------Y----
BE	NEID	EN	A-H---------Y----
BE	NENN	EN	--K--------YY-Y--
BE	NETZ	EN	C-----------Y----
BE	NICK	EN	--K---------Y----
BE	NIES	EN	--I---------Y----
BE	PACK	EN	C-H--------YY----
BE	PFLANZ	EN	--H--------YY--Y-
BE	PFLUEG	EN	--K--PA-----Y----
BE	PICK	EN	A-H---------Y----
BE	PLATT	EN	-E----------Y----
BE	RAHM	EN	A-H---------Y----
BE	RANK	EN	-EK---------Y----
BE	RAT	EN	A-H---------Y----
BE	RAUB	EN	A-H---------Y----
BE	RAUCH	EN	A-K---------Y----
BE	RAUF	EN	--K---------Y----
BE	RAUN	EN	--I---------Y----
BE	RAUSCH	EN	A-I---------Y----
BE	RED	EN	--H---------Y--YY
BE	REIF	EN	AEI---------Y----
BE	REIM	EN	A-K---------Y----
BE	REIN	EN	-E----------YY-Y-
BE	REIS	EN	A---------Y-Y----
BE	REIT	EN	--K---------Y----
BE	RENN	EN	--K---------Y----
BE	REU	EN	--H---------Y----
BE	RICHT	EN	--K--------YYY---
BE	RIECH	EN	--K---------Y-Y--
BE	RING	EN	A-H---------Y----
BE	ROHR	EN	C-----------Y----
BE	RUECK	EN	--HQIPA-----Y----
BE	RUEHM	EN	--K--QA-----Y--YY
BE	RUEHR	EN	--K--QB----YY-Y--
BE	RUEST	EN	--H--------YY----
BE	RUF	EN	A-K---------Y----
BE	RUH	EN	--I---------YY---
BE	RUPF	EN	--H---------Y----
BE	RUSS	EN	A-K---------Y----
BE	SACK	EN	A-----------Y----
BE	SAF	EN	--H---------Y----
BE	SAEUM	EN	--K---------Y----
BE	SAG	EN	--K---------Y-Y--
BE	SAU	EN	B-----------Y----

LISTE 5 /BE-...-EN/ ANZAHL 347 4

BE	SAUF	EN	--K--------Y----
BE	SCHAB	EN	--H--------Y----
BE	SCHAEL	EN	--K----QE-YY----
BE	SCHAEM	EN	--J--QB----Y----
BE	SCHAETZ	EN	-----PA--YYY-Y--
BE	SCHAEUM	EN	--K--PA----Y----
BE	SCHAFF	EN	--K-------YY--Y-
BE	SCHAL	EN	-E--------YY----
BE	SCHALL	EN	A-I--------Y----
BE	SCHAU	EN	B-K-------YY-Y--
BE	SCHEIN	EN	A-I--------YYY-Y
BE	SCHEISS	EN	--I--------Y----
BE	SCHELT	EN	--H--------Y----
BE	SCHENK	EN	A-H-------YY----
BE	SCHER	EN	--K-------YY----
BE	SCHERZ	EN	A-I--------Y----
BE	SCHICK	EN	-EK-------YY--YY
BE	SCHIEN	EN	---OI------Y----
BE	SCHIESS	EN	--K--------Y----
BE	SCHIFF	EN	C-I------Y-Y-Y--
BE	SCHILF	EN	C----------Y----
BE	SCHIMPF	EN	A-H--------Y--Y-
BE	SCHIRM	EN	A-H-------YY----
BE	SCHLAF	EN	A-I--------Y----
BE	SCHLAG	EN	A-K--------Y----
BE	SCHLECK	EN	--K--------Y----
BE	SCHLEICHEN		--I--------Y----
BE	SCHLEIM	EN	A-I--------Y----
BE	SCHLEUS	EN	--K--------Y----
BE	SCHLIESSEN		--H-------YY-YY-
BE	SCHMEISSEN		--K--------Y----
BE	SCHMIER	EN	A-K--------Y----
BE	SCHNARCHEN		--I--------Y----
BE	SCHNAUF	EN	--I--------Y----
BE	SCHNEI	EN	--I--------Y----
BE	SCHNEID	EN	A-K--------Y----
BE	SCHNELL	EN	-EH--------Y----
BE	SCHNUER	EN	-----PB--YYY----
BE	SCHOEN	EN	-EHQH-----YY----
BE	SCHRAENKEN		--H------Y-Y----
BE	SCHREI	EN	A-I--------Y----
BE	SCHREIB	EN	--K-------YY----
BE	SCHREIT	EN	--I-------YY----
BE	SCHRIFT	EN	B----------Y--Y-
BE	SCHROT	EN	D----------Y----
BE	SCHUETT	EN	-----QA---YY----
BE	SCHUETZ	EN	--H--QA----Y----
BE	SCHUH	EN	A----------Y----
BE	SCHWANZ	EN	A----------Y----
BE	SCHWATZ	EN	A-K--------Y----
BE	SCHWEIF	EN	A-I--------Y----
BE	SCHWEIG	EN	--K--------Y----
BE	SCHWEISSEN		A-K-------YY----
BE	SCHWEMM	EN	--H--------Y----
BE	SCHWER	EN	-E---------Y----
BE	SCHWIMM	EN	--I--------Y----
BE	SCHWING	EN	--K-------YY----
BE	SCHWITZ	EN	A-I--------Y----
BE	SCHWOER	EN	--K--------Y----
BE	SEH	EN	--K--------Y----
BE	SEIL	EN	C----------Y----

LISTE 5 /BE-...-EN/ ANZAHL 347 5

BE	SEND	EN	--H--------YY----
BE	SIEG	EN	A-I---------Y----
BE	SING	EN	--H---------Y-Y--
BE	SINN	EN	A-K---------Y--YY
BE	SITZ	EN	A-I--------YY----
BE	SOLD	EN	A-----------Y----
BE	SONN	EN	--JNK-------Y----
BE	SORG	EN	--I---------Y--Y-
BE	SPAEH	EN	--I---------Y----
BE	SPANN	EN	--KLK------YY----
BE	SPEI	EN	--K---------Y----
BE	SPICK	EN	--K---------Y----
BE	SPIEL	EN	C-K---------Y----
BE	SPINN	EN	--K---------Y----
BE	SPITZ	EN	A-K---------Y----
BE	SPOTT	EN	A-I---------Y----
BE	SPRECH	EN	--K---------Y----
BE	SPRENG	EN	--K--------YY----
BE	SPRING	EN	--I---------Y----
BE	SPRITZ	EN	--K---------Y----
BE	SPROSS	EN	A-IOK------YY----
BE	SPRUEH	EN	--I---------Y----
BE	SPUEL	EN	--KQIQA----YY----
BE	STAEHL	EN	--HMHPA-----Y----
BE	STAEUB	EN	--KQKPA---Y-Y----
BE	STALL	EN	A----------YY----
BE	STAUB	EN	A-K---------Y----
BE	STAUN	EN	--I---------Y----
BE	STECH	EN	--K---------Y----
BE	STECK	EN	--K---------Y----
BE	STEH	EN	--K---------Y----
BE	STEHL	EN	--H---------Y----
BE	STEIF	EN	-EH--------YY----
BE	STEIG	EN	A-I--------YY----
BE	STELL	EN	--K--------YY----
BE	STEPP	EN	--K---------Y----
BE	STIEB	EN	--I---------Y----
BE	STIEL	EN	A-----------Y----
BE	STIMM	EN	--K-------YYY--Y-
BE	STOCK	EN	A-I--------YY----
BE	STOSS	EN	A-K---------Y----
BE	STRAF	EN	--H---------Y-Y--
BE	STRAHL	EN	A-I--------YY----
BE	STREB	EN	--I--------YY----
BE	STREICH	EN	A-K--------YY----
BE	STREIF	EN	--K-------Y-Y----
BE	STREIT	EN	A-I---------Y-Y--
BE	STREU	EN	B-K--------YY----
BE	STRICK	EN	A-H-------Y-Y----
BE	STROEM	EN	--I--PA----YY----
BE	STUECK	EN	C-H-------Y-Y----
BE	STUERM	EN	--K--PA----YY----
BE	STUERZ	EN	--K--PA-----Y----
BE	STUHL	EN	A-----------Y----
BE	SUCH	EN	--H---------Y----
BE	TAG	EN	A-I--------YY----
BE	TAST	EN	--K---------Y-Y--
BE	TAU	EN	D-I---------Y----
BE	TON	EN	A----------YY----
BE	TRACHT	EN	B-I---------Y----
BE	TRAEN	EN	--I--QA-----Y----

LISTE 5 /BE-...-EN/ ANZAHL 347 6

```
BE   TRAG    EN    --K--------Y-Y--
BE   TRAU    EN    --K-------YY--Y-
BE   TREFF   EN    A-K--------Y-YY-
BE   TREIB   EN    --K--------Y----
BE   TRET    EN    --K--------Y----
BE   TREU    EN    -E---------Y--Y-
BE   TRIEF   EN    --I--------Y----
BE   TRINK   EN    --H--------Y-Y--
BE   TROPF   EN    A-K--------Y-Y--
BE   TRUEB   EN    -EH-------YY----
BE   TRUEG   EN    --HMKQA----Y--Y-
BE   TU      EN    ---MH------Y--YY
BE   TUERM   EN    --K--PA----Y----
BE   TUPF    EN    --H--------Y----
BE   WACH    EN    -EI--------Y----
BE   WACHS   EN    C-K--------Y----
BE   WAHR    EN    -EH-------YY----
BE   WALD    EN    A---------YY----
BE   WEG     EN    A----------Y----
BE   WEH     EN    C----------Y----
BE   WEHR    EN    D-K--------Y-Y--
BE   WEIB    EN    C-K------Y-Y--YY
BE   WEIN    EN    A-I--------Y----
BE   WEIS    EN    --H-------YY--Y-
BE   WEISS   EN    -EHMH-----YY--Y-
BE   WEND    EN    --K-------YY----
BE   WERB    EN    --K-------YY--Y-
BE   WERF    EN    --K--------Y----
BE   WERT    EN    AEH-------YY----
BE   WIND    EN    A-K------YYY----
BE   WOHN    EN    --I-------YY--YY
BE   ZAEHM   EN    --H----QE--Y----
BE   ZAEHN   EN    ---QIPA--Y-Y----
BE   ZAEUN   EN    --H--PA----Y----
BE   ZAHL    EN    B-K-------YY-Y--
BE   ZEIG    EN    --K--------Y----
BE   ZEIH    EN    --H--------Y----
BE   ZEUG    EN    C-K-------YY----
BE   ZIEH    EN    --KOH-----YY----
BE   ZIEL    EN    C-I--------Y----
BE   ZWECK   EN    A----------Y----
BE   ZWING   EN    --H--------Y----
```

LISTE 6 /BE-...-IG-EN/ ANZAHL 20 1

BE	EID	IG	EN	A------------Y-Y-
BE	END	IG	EN	--K-------YY-Y-YY
BE	ERD	IG	EN	--H--------Y-Y-Y-
BE	FEST	IG	EN	CE---------YYY-Y-
BE	FLEISS	IG	EN	A-----------YY---
BE	GLAUB	IG	EN	--H----------Y-YY
BE	HELL	IG	EN	-E-----------Y---
BE	HERZ	IG	EN	C-H----------Y-Y-
BE	KREUZ	IG	EN	C-K--------YYY---
BE	LEID	IG	EN	CEK----------Y-YY
BE	LUST	IG	EN	B------------Y---
BE	RECHT	IG	EN	CEI----------Y-YY
BE	REIN	IG	EN	-E----------YY-Y-
BE	RICHT	IG	EN	--K--------YYY---
BE	RUH	IG	EN	--I---------YY---
BE	SCHEIN	IG	EN	A-I---------YYY-Y
BE	SCHULD	IG	EN	B-H----------YY--
BE	SICHT	IG	EN	B-H--------Y-YYY-
BE	TEIL	IG	EN	D-H-------YY-YY--
BE	WILL	IG	EN	---MH--------Y---

LISTE 7 /...-BAR/ ANZAHL 86 1

ACHT	BAR	B-K-------Y--Y--
AETZ	BAR	--K-------Y--Y--
AHN	BAR	--K-------Y--Y--
ART	BAR	B-K-------Y--Y--
BRAUCH	BAR	A-H----------Y--
BRECH	BAR	--K-------Y--Y--
BRENN	BAR	--K----------Y--
DANK	BAR	A-K--------Y-Y--
DEHN	BAR	--K-------Y--Y--
DIENST	BAR	A------------YY-
DULD	BAR	--K-------Y--Y--
ESS	BAR	--H----------Y--
FAHR	BAR	--K--------Y-Y--
FASS	BAR	C-K-------YY-YY-
FEHL	BAR	--K----------Y--
FLOESS	BAR	--HMIPC------Y--
FRACHT	BAR	B----------Y-Y--
FRUCHT	BAR	B-I--------Y-Y--
FUEHL	BAR	--K-------YY-Y--
FURCHT	BAR	B------------Y--
GANG	BAR	---NI--------Y--
GEH	BAR	--I--------Y-Y--
GREIF	BAR	A-H--------Y-YY-
HAFT	BAR	D-H-------YY-Y--
HALT	BAR	A-K-------YY-Y--
HAU	BAR	A-K--------Y-Y--
HEIL	BAR	CEK-------Y--Y--
HEIRAT	BAR	B-H----------Y--
HEIZ	BAR	--K-------YY-Y--
HOER	BAR	--H--------Y-Y--
JAGD	BAR	B------------Y--
KENN	BAR	--H-------YY-Y--
KLAG	BAR	--I--------Y-Y--
KNET	BAR	--H----------Y--
KOST	BAR	B-H----------Y--
KUEND	BAR	--H----QE----Y--
KUND	BAR	-E---------Y-Y--
LAST	BAR	B-K--------Y-Y--
LAUT	BAR	A-I-------Y--Y--
LENK	BAR	--H-------Y--Y--
LERN	BAR	--H--------Y-Y--
LES	BAR	--K-------YY-Y--
MAEH	BAR	--K----------Y--
MAL	BAR	C-H--------Y-Y--
MANN	BAR	A----------Y-Y--
MELK	BAR	--K----------Y--
MERK	BAR	--K------Y-Y-YYY
MESS	BAR	--K-------YY-Y--
MISCH	BAR	--K-------Y--Y--
NENN	BAR	--K-------YY-Y--
PFAEND	BAR	--H--PC---Y--Y--
REIZ	BAR	A-H-------Y--Y--
RIECH	BAR	--K--------Y-Y--
RUEG	BAR	--H----------Y--
RUEHR	BAR	--K--QB---YY-Y--
SAG	BAR	--K--------Y-Y--
SANG	BAR	A--LH--------Y--
SCHAETZ	BAR	-----PA--YYY-Y--
SCHAU	BAR	B-K-------YY-Y--
SCHEIN	BAR	A-I--------YYY-Y
SCHIFF	BAR	C-I------Y-Y-Y--

LISTE 7 /...-BAR/ ANZAHL 86 2

SCHLIESSBAR	--H-------YY-YY-
SCHMELZ BAR	A-K-------Y--Y--
SCHMIED BAR	A-H-------Y--Y--
SCHULD BAR	B-H---------YY--
SICHT BAR	B-H-------Y-YYY-
SING BAR	--H--------Y-Y--
STRAF BAR	--H--------Y-Y--
STREIT BAR	A-I--------Y-Y--
TAST BAR	--K--------Y-Y--
TEIL BAR	D-H------YY-YY--
TRAG BAR	--K--------Y-Y--
TREFF BAR	A-K--------Y-YY-
TRENN BAR	--K-------Y--Y--
TRINK BAR	--H--------Y-Y--
TROPF BAR	A-K--------Y-Y--
UR BAR	A------------Y--
WAEG BAR	--HQH-----Y--Y--
WAEHL BAR	--H--QB------Y--
WEHR BAR	D-K--------Y-Y--
WUENSCH BAR	--H--PA------Y--
ZAEHL BAR	--KQKQB------Y--
ZAHL BAR	B-K-------YY-Y--
ZOLL BAR	A------------Y--
ZUEND BAR	--K-------Y--Y--

LISTE 8 /...-LICH/ ANZAHL 139 1

ABEND	LICH	A-------------Y-
AEHN	LICH	---QK---------Y-
AENGST	LICH	-----PB-------Y-
AMT	LICH	C----------Y--Y-
BILD	LICH	C-K------YY---YY
BITT	LICH	--K-----------Y-
BLAESS	LICH	--I----PE-----Y-
BLAEU	LICH	--HQKQE-------Y-
BRAEUN	LICH	--K----QE-Y---Y-
BRIEF	LICH	A-------------Y-
DENK	LICH	--H--------Y--YY
DICK	LICH	-E--------Y---Y-
DIEN	LICH	--I--------Y--Y-
DIENST	LICH	A------------YY-
DING	LICH	C-K-------YY--Y-
DRAHT	LICH	A-H-------Y---Y-
DRING	LICH	--I-----------Y-
DUENN	LICH	-E--------Y---Y-
EHR	LICH	--H-------YY--YY
EID	LICH	A-----------Y-Y-
END	LICH	--K------YY-Y-YY
ERB	LICH	--H--------Y--Y-
ERD	LICH	--H-------Y-Y-Y-
ERNST	LICH	AE------------Y-
FACH	LICH	C-------------Y-
FAELSCH	LICH	--H----QE-Y---Y-
FASS	LICH	C-K-------YY-YY-
FEIND	LICH	A----------Y--Y-
FEST	LICH	CE--------YYY-Y-
FEUCHT	LICH	-E---------Y--Y-
FORST	LICH	A----------Y--Y-
FRAG	LICH	--H--------Y--YY
FRAU	LICH	B-------------Y-
FREUND	LICH	A----------Y--YY
FUEG	LICH	--KQHQA---Y---Y-
FUERST	LICH	A-------------Y-
GAST	LICH	A---------Y---Y-
GEIST	LICH	A--------Y----Y-
GELB	LICH	-E------------Y-
GLAUB	LICH	--H---------Y-YY
GLUECK	LICH	C-I--------Y--YY
GRAEM	LICH	--J--QA-------Y-
GRAUL	LICH	--K-----------Y-
GRAUS	LICH	A-K-----------Y-
GREIF	LICH	A-H--------Y-YY-
GRUEN	LICH	-EI--------Y--Y-
GRUEND	LICH	--H--PA---Y---YY
GUET	LICH	-----PAQEYY---Y-
HAB	LICH	C-I--------Y--Y-
HAND	LICH	B-------------Y-
HEIM	LICH	C--------Y----YY
HERBST	LICH	A-K-----------Y-
HERR	LICH	A-------------Y-
HERZ	LICH	C-H---------Y-Y-
HILF	LICH	---MI---------Y-
JAEHR	LICH	--J--QC-------Y-
JUGEND	LICH	B-------------Y-
KECK	LICH	-E------------Y-
KLAER	LICH	--H----QE-Y---Y-
KLANG	LICH	A--LT---------Y-
KLEIN	LICH	-E-------Y----Y-

LISTE 8 /...-LICH/ ANZAHL 139 2

KNECHT	LICH	A-H-------Y---Y-
KOEST	LICH	---QHQB-------Y-
KRAENK	LICH	--KQI--PE-Y---Y-
KUEHN	LICH	-E------------Y-
KUESS	LICH	--H--PA-------Y-
LAEND	LICH	--KQIPC--Y----Y-
LAENG	LICH	--KQK--PE-----Y-
LAU	LICH	-E------------Y-
LEIB	LICH	A--------YY---Y-
LEID	LICH	CEK---------Y-YY
LIEB	LICH	-EH------Y-Y--Y-
LOES	LICH	--HQIQCQE-Y---Y-
MAGD	LICH	B-------------Y-
MENSCH	LICH	A-------------YY
MERK	LICH	--K------Y-Y-YYY
MISS	LICH	--HMK---------Y-
MOEG	LICH	--H-----------YY
MUEND	LICH	--IQIPD--YY---Y-
NAECHT	LICH	-----PB-------Y-
NAEHR	LICH	--K-----------Y-
NAESS	LICH	--K----PE--Y--Y-
NEU	LICH	-E------------Y-
NUETZ	LICH	--K-----------YY
PEIN	LICH	B-------------Y-
PFLANZ	LICH	--H-------YY--Y-
PFLEG	LICH	--K-----------Y-
PREIS	LICH	A-H-----------Y-
RAEUM	LICH	--H--PA---Y---Y-
RAEUM	LICH	---QI-----Y---Y-
RECHT	LICH	CEI---------Y-YY
RED	LICH	--H--------Y--YY
REICH	LICH	CFK-------Y---Y-
REIN	LICH	-E---------YY-Y-
ROET	LICH	--H----PE-Y---Y-
RUEHM	LICH	--K--QA----Y--YY
RUND	LICH	CE--------Y---Y-
SCHAEND	LICH	--H-------Y---Y-
SCHAFF	LICH	--K-------YY--Y-
SCHICK	LICH	-EK-------YY--YY
SCHIED	LICH	---OK---------Y-
SCHIMPF	LICH	A-H--------Y--Y-
SCHLIESS	LICH	--H-------YY-YY-
SCHMERZ	LICH	A-K------Y----Y-
SCHRECK	LICH	A-K-----------Y-
SCHRIFT	LICH	B----------Y--Y-
SCHWAECH	LICH	--H----PE-Y---Y-
SCHWAERZ	LICH	--H----PE-Y---Y-
SEHN	LICH	--J-----------Y-
SICHT	LICH	B-H-------Y-YYY-
SINN	LICH	A-K--------Y--YY
SORG	LICH	--I--------Y--Y-
STERB	LICH	--I-----------YY
STIMM	LICH	--K------YYY--Y-
STOFF	LICH	A-------------Y-
SUD	LICH	A-------------Y-
SUED	LICH	A----QA-------Y-
SUESS	LICH	-EH-----------Y-
TAUG	LICH	--I-----------YY
TRAU	LICH	--K-------YY--Y-
TREFF	LICH	A-K--------Y-YY-
TREU	LICH	-E---------Y--Y-

LISTE 8 /...-LICH/ ANZAHL 139 3

TROEST	LICH	--H--QA---Y---Y-
TRUEG	LICH	--HMKQA----Y--Y-
TU	LICH	---MH------Y--YY
TUN	LICH	--H-----------YY
VOLK	LICH	C-------------Y-
WEIB	LICH	C-K------Y-Y--YY
WEICH	LICH	-EK-----------Y-
WEID	LICH	--H-----------Y-
WEIS	LICH	--H-------YY--Y-
WEISS	LICH	-EHMH-----YY--Y-
WELT	LICH	B-------------Y-
WERB	LICH	--K-------YY--Y-
WERK	LICH	C-H-----------Y-
WOHN	LICH	--I-------YY--YY
ZEIT	LICH	B---------Y---Y-
ZIEM	LICH	--K-----------YY
ZIER	LICH	B-K-----------YY